食べものから学ぶ現代社会

——私たちを動かす資本主義のカラクリ

平賀 緑

岩波ジュニア新書 980

はじめに

政治や経済って難しいですか？　大丈夫。みなさん、ご飯を食べますよね？（パンでも麺でも）。それも政治経済の一部です。

例えば、今日1日の食費が330円しかなかったら、どうします？　いつも料理してくれる人もいなければ、家の中に買い置きの食材やお菓子もないとします。

学生にこの質問をすると、いろんな答えが返ってきます。コンビニのおにぎりを1個ずつ朝昼晩に食べるとか、おにぎりも値上がりして2個しか買えないから朝昼に1個ずつ食べて夜は食べないとか、もっとカロリーの高いチョコやキャラメルをなめて過ごすとか、バイトに行ってまかないご飯を食べるとか、1日寝て空腹を忘れるとか。

いずれにしても、330円というお金や、24時間という時間や、自分1人の労働力という、限られた資源を駆使して満足度を高めることを考えています。限られた資源からどうやって最大の効用を得るか。これも経済学の考えの一つです。教科書には「経済学とは、社会がその希少な資源をいかに管理するのかを研究する学問」と定義しているものもあります（マンキュー入門経済学）。

ちなみに、1日330円の食費って少なすぎ！　と思ったかもしれません。でもこれは、現在の日本に1食110円しか使えない人たちがたくさんいるというフードバンクの調査結果から算出しました。[★1] 店頭に食料品が並んでいる今の日本で、なぜこのような格差があるのかというのも、大きな政治経済の問題です。

さて、もう一度、コンビニのおにぎりを思い出してください。みなさんが近くの店でおにぎりを買えることは「当たり前」な現象ではなくて、そこに店があっておにぎりが売られているからですよね。つまり、そこにコンビニという小売業の経済主体があって、店長とバイトという経営者と労働者が働いていて、おにぎりを販売してくれているから。最近は、コンビニ店長も経営者とはいいがたい現状もあるそうですが、それはさておき。

また、おにぎりを作るためにも、食品製造業の企業や工場やそこで働いている人たちがいる。コメや梅干しが勝手に動くことはないので、農産物を集めたり運んだり仕分けたりする企業や労働者もいる。そもそもコメを栽培する農家や農場で働く人たちがいる。農業で使う肥料や種子も最近は商品開発して販売する産業になっているなどなど。みなさんがコンビニのおにぎり1つ食べることを可能にするために、生産から消費まで、その前後や周辺にも、たくさんの人や企業が関わっています。その多くの企業や事業体は、現在の経済社会の仕組みの中で、売るための「商品」としてコメや梅干しやおにぎりを作って販売しています。

また、おにぎりの裏側を見てください。名称や原材料名、消費期限、製造者の名前と住所などが書いてありますよね。この小さなラベルに、何の情報をどんな順番で書くかも、じつは決まりがあります。「食品表示法」という法律まであります。また、消費期限の決め方やモノによっては「賞味期限」を使うこととか、製造現場で守るべき衛生基準とか、小売店が商売するための決まりとか、さらには農業や貿易の政策をどうするかなどなど。政府や法律がもろもろのルールを整えているからこそ、企業がスムーズに経済活動を行うことができ、私たちがコンビニでおにぎりを買うことができるのです。

そもそも、がんばって得た利潤を自分のものにできなければ、誰も働かないかもですね。

そう。現在の経済の仕組みは、この「私的所有権」に基づいて動いています。そして、現在の経済の仕組みを、資本主義経済と呼びます。

このように、おにぎり1つから、みなさんは世界の政治と経済に繫がっているのです。その現代社会のカラクリを食べものから読み解こうというのがこの本の目的です。

（ちなみに、ジョーン・ロビンソンという有名な経済学者は、経済学を学ぶ目的は、経済を語る者にだまされないようにするためだと言ったそうです。私はこちらの考え方が好きです。）

◐今の世の中、なんで??……と思ったら

稀少な資源を効率良く使って最大の効用を求めるのが経済学といわれつつ、でも、今の世の中は、それでは説明できないことも多い気がします。現代社会では、気候危機、パンデミック、戦争など、いくつもの重大な危機が押し寄せている。また、燃料や食料の値上げラッシュが続き、まじめに働いてもまともな生活を支えることが難しい。農業生産は増えているのに食べられない人も減らず、経済成長しているはずなのに私たちの生活はラクにならない。

人が生きるために必須な農業や食品産業での仕事は、低賃金の重労働が多く、非正規やバイトや外国からの労働者までかき集めてなんとか稼働している様子。その他にも「エッセンシャル・ワーク」と呼ばれる仕事は必須(エッセンシャル)なはずなのに低賃金重労働で、逆に、快適なオフィスに座ってお金をデジタルに動かしたり、社会で必要なさそうな「クソどうでもいい仕事[★2]」をしたりしている人たちの方が金持ちらしい。

必要なモノを作って売るだけではもう経済成長できないからと、必要以上に売ろうと、新商品を打ち出したり、「マストバイ」と煽ってみたり、「不要不急」に人を動かして観光産業を発展させたりして、あの手この手で必要以上の「需要」を増やして、それでムダも増やしている気がする。他方では、個人も政府もクレジットカードや国債を使って借金を増やして、同時に世界のお金(金融資産)を増やして、でも膨れ上がったお金はじっとしていないから、すべての取引をマネーゲーム化して、バブルを膨らませては弾けさせてギャンブルしているような気がする。

もう、需要と供給、生産と消費だけでは語れない、現在の経済社会。なのに、知ってか知らずか、ニュースで聞く政治家や企業財界人の言葉は、相変わらず経済成長やイノベーションなど、古い呪文を繰り返しているような気がします。もう経済学のセオリー通りには世の中が動いていないのに、もしかしたら、古い「思い込み」を利用して、ますます格差を広げて自然を壊して事態を悪化させているような。

この本は、食べものだけの話ではなく、みなさんの多くが「なんで？」「なんかおかしくない？」と思った、もっともらしく語られる経済学の理論(セオリー)と現実(リアル)が違うんじゃないかと感じた、その不思議が少しでも「なるほど！」と思えることを目指しています。

食べものから現代社会を考える

私はふだん「おいしくない食べものの政治経済を研究しています」と自己紹介します。まぁ、「おいしくない」といっても、砂糖や油や添加物が入っていて、じつはおいしく食べてしまう、たぶんみなさんも好きなお菓子やスィーツとか、いわゆる「ジャンク」な食べものも多いですが。ようは、コンビニやドラッグストアでもたくさん売られている、どちらかというと加工度の高い、けっこう安い値段で満足度の高い、でも食べ過ぎると大人に、大人は医者や健康指導の人に、注意されるような食品の政治経済をまじめに研究しています。

そんな私が、丹波《たんば》の農村で畑を耕す生活や、香港の国際金融センターでの仕事を体験した後に「経済学」の世界に入ったら、どうもセオリーとリアル社会との間にズレがあるように感じました。需要と供給の法則とか、貿易を推奨する「比較優位」の考えとか、経済の潤滑油といわれる金融の役割とか。さらに、私たちの食に影響を与える政治経済のもろもろを研究し始めたら、グローバリゼーションや「自由」貿易のこと、巨大企業が圧倒的に強い「競争社会(競争なんてできない社会)」について、そして経済の「金融化」や取引のマネーゲーム化など、逆に食べものから現代社会の、とくに経済のカラクリが見えてきたと思います。その資本主義経済のカラクリは、食べものだけではなく、私たちの生活や生命そのものに影響を与えて、人も自然も壊しているように見えます。

そこで、食べものから資本主義経済を解き明かす本として、『食べものから学ぶ世界史』(2021年)を出版しました。でも、歴史だけでなく、現代社会を動かしているロジックやカラクリをより詳しく解き明かすために、その第2弾として現代社会編をまとめたのがこの本です。

この本は、よくある「経済学をわかりやすく解説した本」ではありません。むしろ、教科書的な経済学の説明から乖離《かいり》したロジックで動いているらしい現代資本主義経済のカラクリを、食べものから紹介する本です。もっともらしく語られているセオリーとリアルとでは、ここがずれている(ずらされていた)のだと、現代社会のカラクリを理解してもらえることを願っています。逆に、何がどう現実とずれているのかを知った上で経済学を学ぶと、理論の目的やその使い方をより深く理解できるようになるとも思います。現実離れした経済学の勉強に嫌気が差す若者も増えているそうですから。

今、この世界は沢山の問題を抱えています。気候危機も、パンデミックも、戦争も、そして広がる格差や「生きづらさ」も、じつはすべて、人や自然を壊してでも利潤を求め続ける資本主義のカラクリとしては当然の結果という見方もあります。だったら、この資本主義のカラクリを知ることができたら、これらの問題を乗り越える方法がもっとクリアに見えてくると思いませんか?

お金儲けも経済成長も、全否定するつもりはありません。だけどそれらは私たちが幸せになるための手段であって、お金儲けや経済成長自体が目的ではなかったはず。発展したはずの世の中で貧しさに追い込まれて、追い詰められた現状を認識することすらできなくて小さく縮こまってしまっている人たちにも、ちょっと視野を広げて、この社会を形作っている、この経済のカラクリを知ってもらいたい。特定の政治家や企業だけが悪いわけでもない、構造的に組み込まれた問題をきちんと理解して欲しい。そして、その中に自分を位置づけられたなら、地に足をつけて力強い第一歩を前に踏み出せるだろうと願っています。

この本の読み方

前著『食べものから学ぶ世界史』には、時間的な順番がありましたが、この現代社会編は、現代社会をいろんな角度から見て考えています。

まずは資本主義経済のロジック(考え方)を、違う角度から2回紹介してみます。「序章　資本主義経済のロジックを考える」では、商品、大量生産・大量消費、需要と供給など、経済学的な用語や考えを、食べものから再考しました。次の「小麦を『主食』にした政治経済の歴史」では、この本を書いたころ(2023年)に世界が直面していた、小麦価格の高騰を題材に、食べものと政治経済的な移り変わりを語ってみました。食べものが商品化され、人量生産・大量消費の体制に組み込まれるとどう変わるか（変えられてきたか）、一つの具体例をあげて話した方がわかりやすいと思って。

その後の章ではトピックごとに、現代社会のグローバル化、巨大企業、金融化、技術革新とデジタル化について紹介しています。この辺は順番通りでなくても、関心ある章から読んでもらえたらと思います。すべて互いに関係している問題ですから。

最後に、この現代社会のカラクリをまとめ、経済学の課題として「格差」を考え、その上で、この行き詰まった社会を乗り越えるためにはどうするか、少しだけ考えてみます。

この本のあちこちで、２０２０年初から広まった新型コロナウイルス感染症や、２０２２年２月に始まったウクライナでの戦闘をトピックの入り口にしています。この本を書いていたころに世界が衝撃を受けた問題であったというだけでなく、これらの「危機」によって、食や農や、資本主義経済の問題が、より顕著にクローズアップされたからでもあります。農業・食料部門のグローバル化や集中化、サプライチェーンの脆弱さ、「金融化」などの問題は、ずっと前から一部の研究者や市民社会から指摘されていたことでした。でも実際に人やモノの動きが止められたり、小麦の相場が急騰したりしたことから、ようやく一般のニュースでも食料危機や食料安全保障が騒がれたように、食と農に影響を与えていた政治経済の実態が多く暴露されたため、わかりやすいと思って事例に使っています。これらの事例を入り口にでも、一度理解してもらった構造は、年月が過ぎて表面的なトピックが変わっても、現在の資本主義経済のカラクリとして、その時々の問題を見抜くヒントとして有効でしょうから。

食べものから現代資本主義経済のカラクリについて学ぶと同時に、逆に、現在の食や農がどれだけ経済や金融に組み込まれているかも知ってもらえると嬉しいです。

前著の『世界史』もそうでしたが、現代社会のすべてを1人の人間が1冊の本にまとめるのは無理な話。だからこの本は、人も自然も壊さない経済を望む私が見て考えている、今の世の中の仕組みと「なぜ?」に注目しています。食や農、金融の現場を体験し、そして有機農業運動やアグロエコロジー、グローバリゼーションからミュニシパリズムまで、幅広い市民活動に参加し、経済学が見落としてきた領域も含めて社会問題に取り組む私が、食べものから、「通念」とは異なる現代資本主義経済の特徴を紹介しているのがユニークと読んでもらえたら嬉しいです。

食べものから、より自分ごととして今の世の中のカラクリが見えてきたら、その中で押しつぶされることなく、不安を感じるだけでなく、この現状を乗り越えて、少しでも人と自然とを壊さない世界を切り拓いていけるはず。このシステムを作ってきたのは人間なのだから、私たちにもこのシステムを変えることができるはず。そのきっかけになれることを願っています。

目　次

序章

資本主義経済のロジックを考える
〜セオリーとリアルのズレ

まずは、需要と供給の法則や、食べるものと「商品」の違いなど、よく聞く経済学的な用語や考えだけれども、リアルな現実からずれていると思われることについて、どこがどうずれているのかを、私が体験した食や農のエピソードも交じえながら考えてみます。

経済モデルと現実の世界とは違う

私は40歳近くになって初めて本格的に経済学を勉強しました。その最初のレッスンとして、経済モデルと現実の世界とは違うことを印象強く学ぶことができたのはラッキーでした。経済学や政治学で有名なロンドン・スクール・オブ・エコノミクス(LSE)の夏期講習で、経済学への入門として教わった内容を、私なりに補足しながら再現してみます。

例えば、図1-1は、最寄り駅から私が勤める大学までの道筋を示した地図です。ここでは、大学まで行くという目的のために必要な要素だけを取り出して、その他の不要な要素は省いて、単純化しています。「単純化」がポイントです。そうしないと現実の世界では、地下鉄の階段を上ると、車が走っていて、人が歩いていて、犬や猫も歩いているかもしれない。道ばたには、自転車が止めてあったり、店の看板が出ていたり、草が生えていたりなどなど、

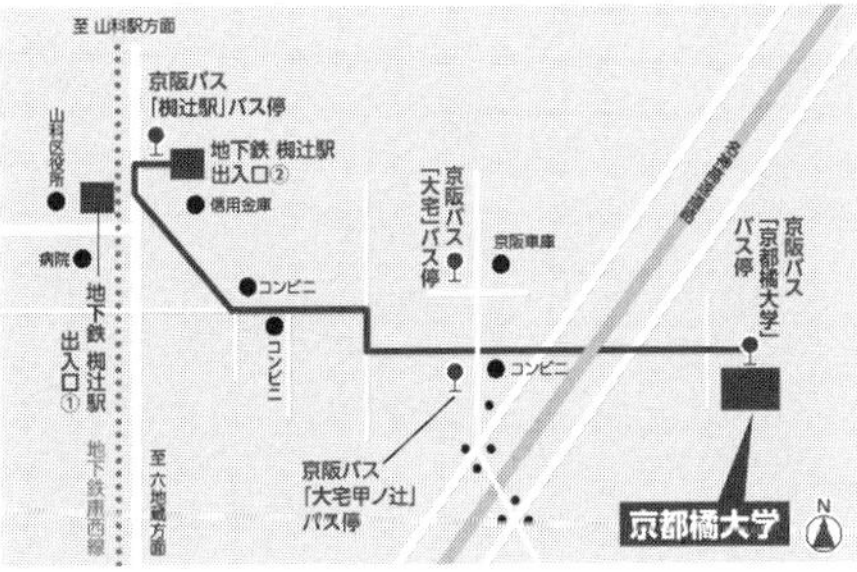

出典：京都橘大学サイト（www.tachibana-u.ac.jp）より

図 1-1　京都橘大学までの道筋を示した地図

出典：京都市内にて，筆者撮影，2023 年

図 1-2　現実の世界における駅前のリアル

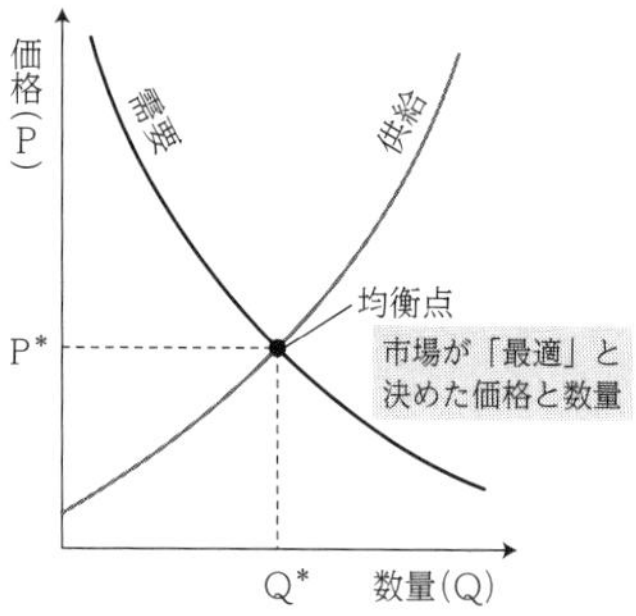

図2　経済学で標準的な「需要供給曲線」のモデル

すべてを描写していてはいつまでたっても大学にたどり着くことができないでしょう。

　単純化して現実とは違うからといって、地図がウソだとか意味がないわけではありません。それは「大学までの道筋を示す」という目的のためには、正しく充分に機能しています。だからといって、地図がイコール現実世界そのものであるというのは違いますよね。

　経済モデルも地図と同じように、ある目的のために必要な要素だけを取り出して、その他のことは切り捨てて単純化したものです。図2は、これ一つで経済学のすべてを説明できる！と主張する学者もいるほど、代表的な、需要と供給の法則を示す図です。買い手は、価格が安いほど多くを買うことができるけれど、価格が高くなれば買う量を減らそうとする。売り手は、価格が高いほど(商売繁盛とばかりに)より多くを売ろうとするし、安くなれば(売っても儲けられないから)売る量を減らそうとする。また、需要が供給より大きければ価格は上昇し、小さければ価格は下落する。逆に供給が多すぎると価格は下落し、少ないと上昇する。こうやって、価格の上下によって需要や供給の量が調整されるし、また、需要と供給の量の関係で価格が上下に調整される。このメカニズムによって価格や品不足・品余りが調整されて、限られた資源を有効に活用できるのだと。

ここまでは、たぶんよく聞く話だと思います。ニュースでも耳を澄ましていると、物の値段や市場の動きなどを説明するときに、この法則に基づいて、需要が、供給が、という説明が聞こえてくると思います。

ただし！　この需要と供給の法則が機能するためには、かなり厳しい前提条件があるのです。一つには、すべての商品が価格以外は全く同じ条件であること。色も形も大きさも品質も全く同じであり、売られている場所が近いか遠いかも、買える時間が長いか短いかも、同じ条件であることが必要です。そして買う人が市場で可能な販売価格のすべてを知っていて価格条件さえ合えば世界中の誰からでもどこからでも同じように購入することができること。それなら、その他の条件が全く同じで価格だけが違うのであれば、安い方を選ぶかもしれない。でもそんな市場って、リアルにありますか？

もう一つには、この法則が成り立つためには、多数の売り手と多数の買い手とがみんな同じ力で平等に競争していることが条件です。売り手も買い手もみんな全く無名の同じ場所に集った同じ条件の多数の個人のように、みんな小規模で声の大きさも力も同じで、そのみんなが平等に競争して、誰も価格や量を操作したり影響力を発揮したりできなくて、だから市場が調整した価格をみんなが受け入れて従うこと。

でも、現実の世界では、町の小さな八百屋とグローバル展開している巨大スーパーとでは、購買力も政治力もぜんぜん違う。後述するように、現実の世界では、巨大企業が恐ろしいほどの力を持っているし、価格を決める取引市場が「金融化」しているし、なぜか国境を越えて貿易した方が最終価格を安くできるカラクリもある。

こうして、モデルとリアルは違うというところから経済学を勉強し始めた私は、日本に帰国して初めて参加したある学会で、現在の農業や食料関係の市場について「完全競争市場」が議論されていたのでビックリしたのでした。

わかった上で使えば、地図も経済モデルも役に立つものです。ただそれは、リアルな世界とイコールと考えてはいけない。そんなことは「当たり前」だと経済学者は言うでしょう。ではなぜ、私たちはニュースなどで、需要が、供給がという理由付けを聞かされることが多いのでしょうか？

使うためのモノと売るためのモノは違ってくる

同じモノでも、自分たちで使うモノと、売って儲けるために作るモノ（「商品」）とは違う。それをきちんと区別して、食や農、もしくは産業や経済に関する政策を見直すと、なぜ産業や経済の発展が必ずしも私たちの幸せとして届いていないのかが見えてくると思います。

では、自分で食べるモノ／使うモノと、売るための「商品」とは、どう違うのでしょう。最近の若い人たちは生まれたころからコンビニのおにぎりやペットボトルの水を買うことが普通だったので、逆に「商品」ではない食べものを想像するのが難しいかもです。

かつて私が丹波の農村で、自分たちが食べるため（それと私の修業用）に畑を耕していたころ、「何作ってるの？」と聞かれて、答えにつまる経験をしました。畑には、そのときどきに植えられる食べものを、いろんな種類を少しずつ、隙間があけばチョコチョコと植えていたからです。こういう育て方を専門的には「多品目少量栽培」といいます。

「何作ってるの？」と聞かれて、キュウリ、イチゴ、ダイコンなど、一つか二つの作物名を即答できる人は、たぶん売るために生産している農家でしょう。

家庭菜園で自分たちが食べるための野菜を育てるとき、畑一面にダイコンを植える人はいないと思います。いくらダイコンを好きな人でも、毎日毎食ダイコン料理が続くと飽きてしまいますから。だからダイコンだけでなく、タマネギやニンジンや、青菜や豆や、いろんな野菜を、自分たちが食べられる量だけ少しずつ、できれば時間差で植えていきます。いろんな野菜をいろんな料理にして、毎日の食卓に変化を持たせて、おいしく楽しく食べられるように(栄養的にも多種類の食品を摂る方が好ましい)。

でも、ダイコンを売ってお金に換える「商品」として栽培している農家は、決まった種類のダイコンだけを広い面積に植えるでしょう。こうして1作物だけを大量に栽培することを「単一栽培、モノカルチャー」といいます。そんな「商品作物」のダイコンの種子は、同じ日数で一斉に発芽して、なるべく形も大きさも揃った見た目のキレイなダイコンが、一斉に収穫できるよう品種改良(改造?)された種子も多い。その方が売るためのダイコンを栽培も管理もしやすいし、販売しやすい。いろんな野菜をチマチマ栽培しても、それは一般的なスーパーや農協はあまり買ってくれないだろうし、梱包や運搬のコストも高くなる。「商品」

としては、なるべくコストを抑えてなるべく高く多く売れることが重要だから、売るための農産物を生産する産業としての農業では、限られた種類の作物を、大量に栽培するようになりがちです。

つまり、自分たちで食べるために育てる野菜と、売って儲ける「商品」として育てる野菜とでは、畑での育て方も、生産する量も、多くの場合は種子から作物そのものも、違ってくるのです。

◐「使える」価値より「売れる」価値

食べるためや使うために作るときと、売って儲けるための「商品」として作るときとでは、求める価値も違ってきます。自分で食べたり使ったりするためのモノを作るときには、おいしく食べて空腹を満たして元気になるとか、服や道具の場合は丈夫で長く使えることが大切。経済学の用語でいうと、こうしたモノとして役に立つ有用性を「使用価値」といいます。そして、自分たちが食べたり使ったりするモノを作るための知恵やスキルも、親から子へ子から孫へと伝えられて、地域社会で先祖代々受け継がれてきた「生活の知恵」や「文化」になっているものも多い。そのモノを作るための資源も、例えば食料生産を続けるための山や川や水路などのように、周囲の自然環境や資源を、集落みんなの共有財産として、みんなでその使い方を決めて、みんなで管理して、子孫の代までその資源がなくならないように保護しながら大切に利用することも多い。これを「コモンズ」などといいます。

ところが、売って儲けるために「商品」を作り始めると、市場で売れるための「交換価値」が高いことが求められて、いろんなことが違ってきます。

例えば、京都で伝統野菜やブランド野菜といって推奨されている作物に「聖護院だいこん」という丸いダイコンがあります。緻密な肉質やほんのりとした甘さが特徴で、ふろふきダイコンなどに料理したらおいしいダイコンです。でも、1個1000円近くするこの聖護院だいこんが、おなじ京都でフードバンクから困窮家庭へ支援される食料品に含まれることは、まずありません。ときには、志ある農家から寄付されることはあるかもしれませんが、いつも寄付していたら農家も経営的に農業を続けられません。それにもし、この聖護院だいこんが無料で玄関の戸口に届けられたとしても、複数のパートを掛け持ちしながら食べ盛りの子どもを2人も3人も育てているひとり親(多くは女性)は困ってしまうでしょう。大きな

図３　聖護院だいこん

ダイコンを切り分けられる台所スペースも煮るための大きな鍋もないかもしれない。おいしく煮込む時間もスキルも不十分かもしれない。ふろふきダイコンでは子どもたちを喜ばせてその胃袋を満たすことは難しいかもしれない。そもそも、生の野菜や果物の配達を在宅でタイミング良く受け取るためには仕事の調整をしなくてはいけないかもしれない。

京都府のブランド野菜を推奨しているサイト★3には、京都の伝統やイメージも活用しながら、きちんとした品質や規格を満たし、出荷単位として適切な量が生産できて、他の産地に比べて優位性や独自性があってと、要は「売れる」商品作物を栽培して売っていこうと努力している様子がみられます。それは農業を続けるためには、当然の、まっとうな戦略であり、農業政策でしょう。だって、売る「商品」としてのダイコンを生産して、それで経営を続ける「産業」としての農業ですから、市場で売るための「交換価値」が高い商品を生産することが正解といえます。だから、空腹の人が求める基本的な食料品より、市場でなるべく高く売れる、できれば輸出もできる、付加価値の高い商品作物を作って売ろうとする。ただそれは、庶民はふだん買わない/買えない贅沢な品や豪華な品になることが多いでしょう。加えて、利潤を増やすためには、その生産コストは抑えたい。だからときには自然環境や地域社会の富など「タダ」で使えるモノは使い倒すこともあるかもしれません。この競争を強いられる経済の仕組みの中では、企業は必ずしも人々を養うことを第一目的にはしていない(できない)。自社が負けないよう、競争に勝たなくてはならない。だから「強い農業」として生き残るためには、その農業生産の第一目的は、「交換価値」(市場でお金に交換できる価値)を高めることであって、おなじ京都府に住む人たちの胃袋を満たすという、食べものの「使用価値」としての目的とはずれてくる。

国民を養うために国内の農業を維持発展させることが必要だと、付加価値の高い農産物の生産やそれを輸出する「強い農業」が農業政策として議論されます。確かに、人々の食を確保するために、農業を維持することは必要条件です。人々の生活を向上させるために、経済の発展も必要です。ただそのような農業や経済の発展が、誰一人取り残さず幸せにすることには必ずしもならない、その十分条件には成り得ないと思います。

この違いをはき違えるからこそ、技術革新して収穫量を増やしても人々を飢餓に追いやることになり、120億人を養う食料がある世界で10億に近い人々が飢え、農業・食料システムが自然環境を破壊する一大要因になる、おかしな現状を引き起こしてしまったのではないでしょうか。

売らなくては儲からない、売り続けなくては成長できない

新型コロナウイルスの感染を防ぐために「不要不急」の外出を控えるよう促された時期がありました。すると、観光地でのご当地グルメや外食向けの食材、そのころ予定されていたオリンピック需要を見込んだ食材が売り先を失って、生産者が困っているとニュースになりました。また、学生たちに影響を聞くと、居酒屋など宴会系でバイトしていた人は仕事がな

くなって収入が激減したけれども、逆に、ファストフード系やスーパーでバイトしていた人は忙しくなったとのこと。ここから、「不要不急」の食と「必要」な食とが対比されて興味深く考えたものでした。いかに今まで農業や食品産業が「不要不急」の食で、それほど必要でもない需要を増やして、市場を確保していたかと。★4

節分のころには「恵方巻」が販売され、毎年のようにその「食品ロス」が話題になります。恵方巻は、確かに節分にそれを食べる習慣も一部にはあったけれども、1990年代にコンビニがそれを広めたとのこと。その他、クリスマスのケーキも、バレンタインのチョコも、正月のお節料理も、単なる文化というより、ケーキやチョコレートの食品産業や、デパートなどの小売業が、仕掛けた背景が見えてきます。このような「イベント食」は、イベントが終わればロスになるのは当たり前。それでも販売のチャンスを作るため、必要以上に売るために、イベント食を仕掛けて売り出す。

コンビニのスィーツも、たまにしか食べない私は気に入った商品が次には売っていないことが多いです。コンビニは毎週火曜日に新商品を発売して、販売期間は1~2週間の商品も多いとか。これも日常的な消費財である食品を売り続けるための企業努力でしょう。

コンビニに限らずスィーツや加工食品に使われることの多い、砂糖と油脂と塩は、食品産業にとって「競争相手を負かすためだけでなく、消費者にもっと買わせるためにも利用される兵器である」と指摘する本もあります。[★5] 砂糖、油脂、塩は、生産コストを抑えてくれる安い食材であるだけでなく、これらを上手い塩梅に組み合わせると、人間の身体が必要とする以上に飲み食いさせることができると。米国にはそんな研究をする研究所があって、その成果を新商品の開発に「トラップ」として仕掛けて、発売しているそうです。

希少な資源から最大の満足を目指す経済学的には、いかに多くを生み出すか（生産するか）に目が向きがち。でも実際の企業や政策の動向を調べると、いかに生産するかより、いかに売り続けるかが重要に見えます。

この「売り続けることの重要性」や、そのための新商品開発、市場開拓、販売促進、そして「需要を増やす」ための懸命な企業努力とそれを支える政府の策について学んだのは、私が博士論文で近代的な植物油産業の発展過程を研究したときでした（詳しくは平賀緑『植物油の政治経済学——大豆と油から考える資本主義的食料システム』昭和堂、２０１９年）。

産業革命以降、工場に労働者を集めて機械も使って売って儲けるための「商品」を作る資

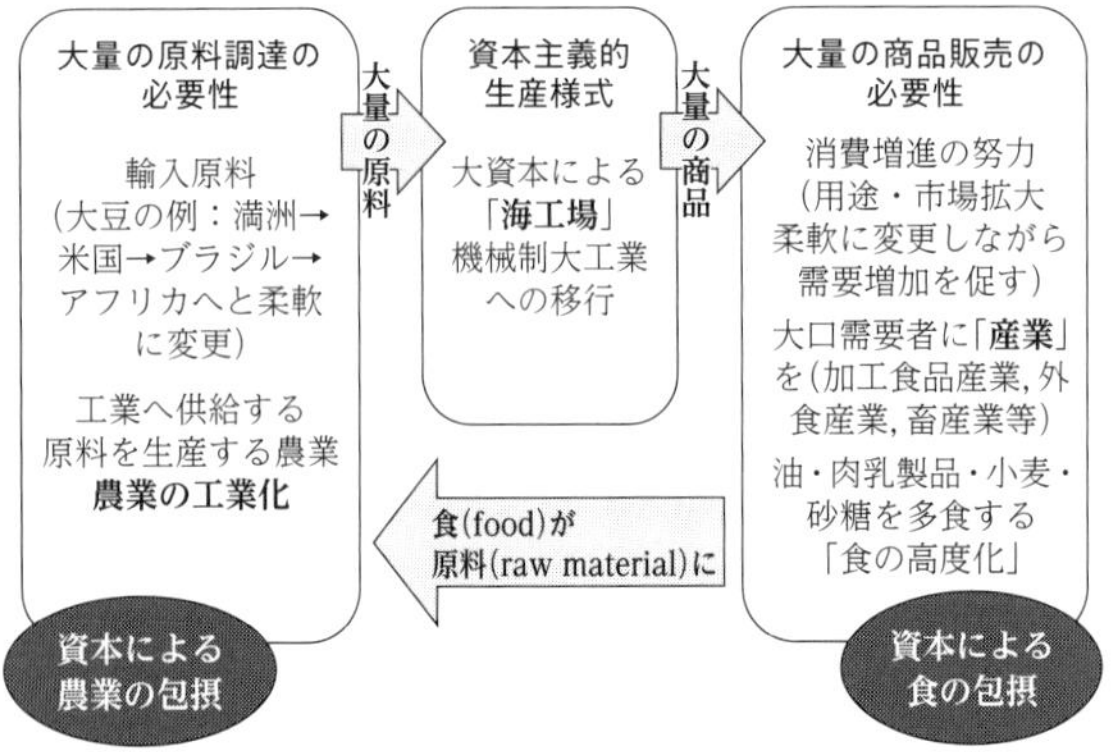

出典：平賀緑『植物油の政治経済学――大豆と油から考える資本主義的食料システム』昭和堂，2019年

図４　大量の原料と大量の販売先を求め続けるカラクリ

本主義的な生産が始められると、工場や機械や労働者をフル稼働するために、原料を大量に調達して大量生産するようになる。そのための原材料を、当時の帝国は主に植民地から調達しました。その名残もあって、今も特定の国が大量生産する食材を他の国々が輸入していることが多いです。大豆から搾油していた日本の製油会社の場合は、戦前は満洲や朝鮮から、戦後には米国から、1970年代からはブラジルからと、時代によって調達先を柔軟に変えながら発展してきました。そうやって大量に生産した商品は、当然、売らなければ儲けになりません。つまり、大量生産すれば、大量販売することが必要になります。市場がなければ新規に開拓してでも。

じつは大豆油は戦前の日本ではほとんど食べられていなかったため、製油会社は油を欧米に輸出したり、軍需用に売り込んだり、国内でも一生懸命宣伝して、新商品開発や市場開拓に尽力して油脂の販売先を広げてきました。戦後には栄養改善や「フライパン運動」など、より大々的に油料理の普及活動を展開して、ようやく大豆油が日常的に食べられるようになったのです。

この、売って儲けるために作った「商品」は売らなければ儲けられないカラクリのため、企業側(供給側)から売り続けるための「需要」を促し消費を増やす、懸命な努力が行われます。次々と新商品を開発し、「欲しい」「買わなきゃ」と思わせて、「需要」を掘り起こし、売れるなら食用でも非食用でも分野を問わず市場を開拓して売り続ける。日本の製油業の場合は、肥料、輸出商品、軍需品、食用と柔軟に市場を移してきました。このロジックは、植物油や食品でなくても、製造業でなくても、この資本主義経済の中で利潤を追求する企業活動としては共通した当然の戦略といえるでしょう。

ファッションの世界にも、この戦略がありありと見られます。多くの人が「断捨離」や

「捨てる技術」が必要なほど、多すぎる服をすでに持っている。だからこそ、ファッション業界は次々と流行を生み出して、毎年毎シーズン売り続けようとする。ファッション雑誌を開くと、「マストバイ」とか「今季はこれ！」とか、何だか買わないと流行に遅れてしまう、かっこ悪くなる、浮く、という不安まで与えて、必要以上に服を買わせる仕掛けが満載です。

今ではSDGs（持続可能な開発目標）が広まって、グリーンやエコな商品やリサイクル商品も増えています。そして消費者にこれらの商品を賢く選んで買って欲しいと訴えてきます。でも「自社の商品を買うのを減らしてください」という企業は、まず見かけません。3Rの中ではリデュース（減らす）が一番重要であるにもかかわらず。

売り続けることは、利潤を追求して成長し続けなくてはならない、資本主義経済における企業としては当然の行動。良し悪しは別として、それはある意味まっとうな企業の活動です。売り続けるために懸命に努力する供給側の事情がある。でもなぜ、食料自給率の低下や輸入に依存しているニュースの解説などでは、「消費者の需要」が理由として語られることが多いのでしょうか。

◐需要は供給側が促し、取引はマネーゲーム化している

こんな目で見始めると、もう「需要と供給の法則」を素直に見られなくなります。しかも、実際にモノの価格を決めている取引市場の現場では、小麦の価格を決めるシカゴ相場も、ドルや円の交換レートも、需要や供給より、ただ値動きで儲けようとする「投機筋」が9割方動かしているとのこと(後の章で詳しく述べます)。

金融取引はマネーゲームと考えた方が理解できると実感したのは、私が20歳代に香港の金融街で働いていたころでした。ある日系証券会社の香港事務所に調査部アシスタントとして雇われたとき、仕事のために株式や金融の仕組みを勉強して、躓《つまず》いたのでした。

株式について、教科書や入門書には、株を買うということはその企業を応援することとか、将来成長が期待できる企業へ投資すべきなどと書かれてあります。でも実際の証券取引の現場では、ディーラーたちが情報端末を見つめて、ローソク足とかチャートにいろんな線を描いて計算して、とにかく、今、市場で儲けられるか否かを短期決戦で勝負しているように見えました。とくに納得できなかったのが、NYダウや日経225などの指数先物取引でした。米国や日本の市場の平均指数の先物に投資するというのがどういう意味か、私にとっては理

解不能だったのです。そのお金がどこに行くのか、リアルで何に使われるのか、考えるとわけがわからない。むしろ、リアルとの繋がりなど気にせず、その値動きで儲けられるか損するかのマネーゲームだと割り切って考えたら、ようやく受け入れられたのでした。

小麦や大豆などのリアルに存在するモノの価格を決める商品取引市場(コモディティ・マーケット)においても、農家や食品企業ではない人たちが、小麦を持っていなくても必要なくても取引している。空売りなんて手元にないものを売る仕掛けがあったり、オプションで買う権利や売る権利を売り買いしたりする。これらはマネーゲームをいかに面白くするか(いかに儲ける仕組みを作るか)と生み出された仕組みなのだと考えた方が納得できたのでした。

資本主義的食料システム～食も農も資本主義のロジックで動いている

まとめると、食べたり使ったりするために作っていたモノが、売って儲けるために作る「商品」へと変わった。そのために、モノとして役に立つ有用性の「使用価値」より、市場で売れる「交換価値」の方が重視されるようになった。企業は利潤追求して競争に打ち勝つために、大量生産したモノを大量販売し続ける必要に迫られ、そのために大量消費と大量廃棄が促され、それが経済成長を支える仕組みになっている。しかもその価格を決めるいろんな取引が「金融化」によってマネーゲーム化しているらしい。

私の前著『食べものから学ぶ世界史』でも、資本主義経済のポイントは、お金で計られる部分だけをいかに増やそうとしてきたか。たくさん作った商品をいかに売り続けようとしてきたか。その過程で、生命の糧であるはずの食べものが、儲けるための「商品」へと変わった、とまとめました。

こうして形成されてきたこんな現代社会だからこそ、自然の恵みや生命の糧であるはずだった農業と食料システムが、今や気候危機の一大要因となり、飢餓と肥満を併存させ、人も地球も壊す存在になってしまっている。

この、資本主義経済に組み込まれた「資本主義的食料システム(capitalist food system)」[★6]では、売るための商品作物を生産する産業としての農業と、その農産物を原料として使う食品加工やその他の製造業と、さらには流通・小売業、外食産業、商社や金融業など、さまざまな産業が発展し、その中で多くは株式会社(一部、協同組合や個人事業体を含む)が、利潤追求して競争している。こうして供給される食べられる商品としての食品を私たちは購入して消費している。私たちの買い物が経済を支えるといわれるけれど、買い物が投票だともいわれるけれども、購買による投票活動はお金がないと投票できない不平等なもの。しかもうっかりしていると、何をどれだけ欲しいかという「需要」も供給側から誘導されやすい。

これらを理解した上で現代社会に山積するもろもろの社会問題を見直すと、その良し悪しは別として、なるほど、資本主義的には当然の動きとしてこうなったのだと、少しクリアに見えてくると思います。

こんな現代社会において、でも、政治家や経済を率いる財界人は、知ってか知らずか、どうも、特定の経済学の教科書的な「通念」で私たちを納得させようとしているように見えます。その「経済学の教科書」がそもそも、代表的なものではサムエルソンとかマンキューとか大御所経済学者によって書かれたものの、もう現在のリアル世界を反映できていない、現代社会から乖離しているとの批判もあります。この辺りの経済学者が2008年の世界金融危機を予測も説明もできなくて、英国女王を呆れさせたエピソードもあるほど。

海外では、このような反省も込めて、ポスト新自由主義時代のための新しい経済学の教科書も作られ始めています。経済学の最大課題として「格差(inequality)」をかかげ、資本主義の成り立ちから始めるこの教科書『The Economy』(https://www.core-econ.org)は、オンラインで、無料で、誰でも利用可能です(ただし日本語版はないため英語などできれば)。この教科書を中心としたCOREカリキュラムは、金融危機、加速する富の格差、気候変動、世界的パンデミックといった、現在のリアル世界での大きな変化をきちんと捉えられる経済学の教育を目指しているとのこと。

この最先端な経済学の教科書も参照しながら、食と農から見たリアル世界と、私が経験してきた市民社会での現場も反映しながら、この本では食べものから資本主義経済に基づく現代社会を読み解いてみたいと思います。

特定の誰かが世界を操っているわけではない。特定の強欲な誰かが「しめしめ」と悪事を行っているだけでもない。そうではなく、それぞれの現場で、仕事のためにもしくは生き延びるために、みんなが「売れる商品」を考えて作って売って競争している。みんなが将来のために貯蓄したり投資したりしている。そんなみんなで動いているシステム全体が、でも、人も自然も壊して私たちを危機的な現状に陥れている、のではないでしょうか。

　この資本主義のシステムも、人間が作りだしたものです。私たちが動かしているものだし、私たちが変えることもできるはず。でも、そのシステムがどう動いているのか理解しなくては、知らない間に私たちは「動かされて」しまう。多くの人たちが、この現代社会の基盤にある資本主義のカラクリをスルーしたまま、表面に浮かんできた問題に振り回されて、それで自分を責めて諦めてしまっているように思うのです。

　経済や政治も、遠い難しいものと思わないで、そう思い込まされないで、この本で「食べもの」から考えることで、少し現代社会を見る目を鍛え、理解を深めてもらえることを願っています。

1章

小麦を「主食」にした政治経済の歴史

前の章で説明した資本主義経済のカラクリについて、一例として、小麦を「主食」にしてきた政治経済の歴史を紹介したいと思います。えっ？　小麦ってもともと西洋の主食でしょと思ったかもですが、それも自然現象ではなさそうなのです。食べものが「商品」になるとどう変わるのか、工場が大量生産を始めるとどんな都合が優先されるのか、そのため作られるモノや求められる価値がどう変わっていくのか。その価値を計るための「お金」の世界に振り回される、金融商品になってギャンブルされるとは。小麦の事例から見てみると「なるほど！」と思えるでしょう。

ウクライナ戦争によって世界が飢える!?

2022年2月、ロシアがウクライナに侵攻して戦争が始まると、世界的に「食料危機」「食料安全保障」と騒がれるようになりました。実際、ウクライナで戦闘が始まった直後に小麦の価格は急騰し、値上がりしたパンや食料品を買えない人が増え、「食べられない」現実も広がりました。

この理由について、流行のChatGPTに尋ねてみると、次のように答えてくれました。

> ウクライナは世界的に見て小麦の主要生産国の一つであり、小麦の輸出量が多い国です。しかし、ウクライナの東部地域での紛争によって、小麦の生産や輸送に支障が出たため、小麦の供給量が減少しました。一方で、需要は変わらなかったため、需要と供給のバランスが崩れ、結果的に小麦の価格が上がったと考えられます。[★7]

生成型ＡＩは、既存の情報からもっともらしい回答を考えてくれるもの。つまり、そのころ一般的には概ねこのように思われていたのだろうと推察できます。

確かに、ロシアとウクライナは2ヵ国で、世界の小麦輸出量の約3割とトウモロコシ輸出量の2割を担うほどの、世界的な穀物輸出国でした。確かに、戦闘によって黒海からの海上輸送は寸断され、ウクライナから小麦などを輸出することは難しくなりました。また、ウクライナの農地を含む国土が戦場となったり、防弾チョッキを装着して農作業しなくてはならなくなったりした話も聞きました。そして、侵攻の直後から、小麦価格の基準となる「シカゴ相場」は急騰して、そのため世界的に小麦など食料品価格が値上がりしました。とくに、ロシアやウクライナから大量の小麦を輸入していた中東やアフリカの国々では、値上がりしたパンを買えない人が増えていることも伝えられました。赤十字国際委員会は、アフリカには食べるものが何もないと世界に訴えました。[★8] その報告によると、ソマリアは小麦の輸入の9割以上もロシアとウクライナに依存しており、コンゴは80%以上、ブルキナファソ、カメルーン、エチオピア、ナイジェリアは20~45%を依存していたと。これほど全面的にロシアとウクライナから小麦を輸入していたのでは、当然、その2ヵ国で戦争が始まったら大変です。食料が入手できない、食べられないという「食料危機」が強まったのは事実でしょう。

でも、少し立ち止まって考えてみてください。

世界には200近い国々があるのに、なぜ、たった2ヵ国からの輸出が滞ることで、世界が食料危機に陥ってしまうのでしょう? それって、戦争がなくても危険すぎませんか? だって、黒海を封鎖したら世界を征服できると証明したようなものですから。そもそもロシアやウクライナからの小麦輸出が増加したのは冷戦後の、せいぜい十数年の話なのに。

それに、なぜ、米国シカゴにあるたった一つの商品取引所における価格変動が、世界の

「主食」の価格を瞬時に動かすのでしょう？　モノの価格は需要と供給のバランスによって決まり、小麦の供給が減ったから価格が上がったと説明されています。けれども、すでに輸入されていた小麦や倉庫に入っていた小麦が消えたわけではないのに、戦闘が始まった翌日には小麦の価格は急騰しました。この場合、実際の小麦の供給が滞る前に小麦価格を押し上げた「需要」とは、何だったのでしょう？　しかも、じつは戦闘が始まった2月までに、ウクライナからの小麦の輸出シーズンは完了していたそうです[★9]。海上輸送の寸断や農地の爆撃など、戦闘による供給量の減少は数ヵ月後に影響してくるだろうに、逆に4ヵ月後には、シカゴ相場の小麦先物価格はほぼ侵攻前の水準に戻りました。

　経済学の教科書によると、財やサービスの価格は需要と供給の法則によって決まるとのこと。では、実際に小麦の供給が滞る前に、小麦価格を押し上げたのは何だったのでしょう？

　ＡＩではない、人間の頭脳で考えた答えをチラ見せすると、小麦のような世界の「主食」といわれる食べものも、資本主義経済が始まってからは売って儲ける「商品」へと変わり、小麦を大量に生産して、貿易して、小麦原料の食料品を大量に製造して販売するというサプライチェーンが形成され、その役割や価値の測り方が変わっていった歴史的な経緯があります。加えて近年では、小麦など食料の価格を決める商品取引市場では、小麦を売りたい農家や小麦を買いたい食品産業は少数派で、むしろ9割方ほとんどの取引は、小麦なんて実際には必要ない、ただ小麦価格の変動により手っ取り早く儲けることを狙っている「投機筋」や「投機マネー」とも呼ばれる、食や農に関係ない人たち(機関投資家、組織、最近はAIも)なのです。そこではもう、小麦の影も形も見られない抽象化された「金融商品」が取引されています。つまり、食や農の「金融化」によって、小麦などの食料もマネーゲームの駒の一つになってしまったということ。このマネーゲームにおいては、ちょっとした情報で相場が大きく動くのが特徴です。実際の需要や供給より、これから小麦の価格が上がるかもしれない(儲けられるかも!)と思わせる小さなきっかけで大きく値動きする。そのきっかけは、戦争でも、天災でも、誰かの発言でも、構わないとのこと。

このような、現代社会のカラクリを、小麦を「主食」へと変えた政治経済の歴史から紐解いて見てみましょう。

食べものから、売って儲ける「商品」へ

小麦という一つの作物が、ロシアとウクライナという二つの国から、輸出が滞るかもしれないということで、世界が「食料危機」に陥ると騒がれました。

リスク分散が大事だと、聞いたことがあると思います。英語を話す人たちは「すべての卵を一つの籠に入れるな」とも言います。『ドン・キホーテ』が書かれた時代からの教訓だとか。つまり、一つの籠にすべての卵を入れてしまうと、その籠を落としたとき全部の卵が割れてしまう。だから、卵は少しずつ複数の籠に入れておくべき。そうすれば、一つの籠を落としても、残りの卵は無事に残るからとのこと。

私たちが生きる世界には39万種もの植物が確認されており、そのうち5000～7000種類の植物を人類は食して生きてきたそうです。とにかく食べられるモノを食べて生き延びないと、人類はもっと早くに死に絶えていたでしょう。それなのに現在では、小麦、コメ、トウモロコシという、たった3種類の作物が、世界人口のカロリー摂取の半分以上を占めているそうです。だからこそ小麦も「世界の主食」といわれるのでしょう。

でも、5000～7000種類もの食べられる植物が存在するのに、そのうちたった3種類の作物に世界人口の半分ほどが頼るというのは、リスクを集中させてしまっていませんか。

しかも、表1にあるように、その小麦の半分近くを、中国、欧州連合、インドの3ヵ国／地域が生産し、欧州連合とロシアが半分近くを輸出しています。トウモロコシは、米国が3割、中国が2割強と2ヵ国で世界の半分以上を生産しています。これらの地域で、干ばつや洪水や山火事などの天災が起こると(異常気象が多発している現在ではよくある話)、もしくは戦争や、政権の交代や、何らかの理由で輸出が止められると、たちまち世界が食べられなくなるリスクがある。

これほど、限られた地域で生産されている、限られた作物に、世界80億の人口が依存するのは、リスクを集中しすぎではないでしょうか？　リスク満載な現代社会ではとくに。

でもその集中は、資本主義経済的には都合が良かったからと考えられます。

もともと人類は、世界各地の、いろんな気候の、山や海や森や川などいろんな自然環境の中で、その地域で食べられる多種多様な植物を食べて生き延びていました。そもそも、陸路でも海路でも物を運ぶことに時間も労力も費用もかかった時代に、しかも大多数の人たちが身の回りの自然や田畑から食料を入手できた時代に、庶民が日常的に食べるものを遠くまで

表1　小麦とトウモロコシの生産量

小麦の生産	量 (t)	%	トウモロコシの生産	量 (t)	%
世界計	760,925,831	100%	世界計	1,162,352,997	100%
中国	134,254,710	18%	米国	360,251,560	31%
欧州連合	126,658,950	17%	中国	260,876,476	22%
インド	107,590,000	14%	ブラジル	103,963,620	9%
ロシア	85,896,326	11%	欧州連合	67,844,050	6%
米国	49,690,680	7%	アルゼンチン	58,395,811	5%
カナダ	35,183,000	5%	インド	30,160,000	3%
パキスタン	25,247,511	3%			
ウクライナ	24,912,350	3%			

出典：国連食糧農業機関の統計サイト（www.fao.org/faostat/），2022 年

売りに行こうとは思わないでしょう。

小麦の貿易がなかったわけではありません。フェルナン・ブローデルというフランスの歴史学者が記した『地中海』シリーズにも、小麦の貿易があった様子が描かれています。でも、食料らしい貿易の記述といえば、地中海沿岸の裕福な都市部へ持ち込むための、小麦、ぶどう酒、オリーブ油くらいでした（このオリーブ油は食用以外に使われたものだと、私はにらんでいますが）。食料は基本的に都市周辺や近郊の農村から調達するものであり、ただ大都市の金持ちだけが、重く嵩張る食料を長距離移動させるという贅沢をすることができたのでした。逆に、当時の主な貿易品として描かれていたのは、アフリカやアメリカ大陸から輸入された金銀などの貴金属

や、レヴァントと呼ばれたアジア大陸からの「東方貿易」で、とくに、東方貿易の目玉商品として胡椒など香辛料がありました。香辛料は、軽量、小型、かつ、当時は高価だったのです。

都市部では、他の地域から輸送してきた小麦を食べていたかもしれないけれど、でも、西洋でも昔から小麦が大多数の人たちが毎日のように食べる「主食」だったわけではなかったようです。ブローデルの研究でも、トルコの村人はオート麦(燕麦)のパンを食べていたし、コルシカでは栗のパン、イタリア半島ではコメ、アフリカ北部ではエジプト豆や空豆など、いろんなモノが食べられていました。

小麦が主食だと思い込まれている欧州でも、例えば英国に小麦パンが普及したのは産業革命が始まったころで、1770~1870年代が「小麦パンの時代」と呼ばれたほど、近代に入ってから急に広まったのでした。その後でも、北のスコットランドでは燕麦のオートミールが多く、西のウェールズでは大麦やライ麦の消費が多かったそうです。

「近代に入ってから」とほのめかしたように、小麦が「主食」になった経緯にも、資本主義経済の始まりが関係しています。

世界に先駆けて産業革命を始めた英国では、農村から多くの労働者が都市部の工場に集まってきました。それまで農村で、田畑や山川など身近な自然環境から日々の食を得ていた人たちも、工場で働くために町に移住すると、自分の食べものを自給することができません。つまり、労働者の胃袋というまとまった食料市場ができた。するとそこへ、まとまった食料を供給するシステムが生まれます。

英国は、まずは今のドイツやポーランドなどバルト海沿岸地域から小麦を輸入し始め、やがて大西洋を越えて今の米国やカナダなどから小麦を輸入するようになりました。すると輸出する側の北米では、売るために小麦を栽培する農家や、その小麦を集荷して輸出する穀物商社が生まれてきます。こうして小麦は貿易する「商品」となり、売るための商品作物を生産する農業や、商社などの流通業が発展していきました。食べものの「商品化」です。

ちなみに、北米から輸入した小麦と、カリブ海のプランテーションで黒人奴隷も使って生産させた砂糖と、植民地にしたインドから輸入した紅茶とで、英国の労働者たちが朝食に温かい砂糖入り紅茶と小麦パンを手早く食べて、カフェイン入りのシャキッとした頭で朝から働くことができるようになった話は、前著『食べものから学ぶ世界史』などを参照してください。

小麦を大量生産・大量消費するとは

序章で、家庭菜園ではいろんな作物を少量ずつ家族の胃袋を満たす分だけ栽培するけれど、売るための商品作物は1～数種類の作物を大量に栽培するようになることを話しました。小麦も同じです。売るための小麦を栽培したら、集荷したり、売るために品質管理したり、輸出したりするためには、小麦の種類や品質が均一な方が都合が良い。当時は現在のように生産から販売までの情報を細かく追いかけるトレーサビリティーの仕組みも情報技術もなかったので、とくに遠方と取り引きするためには、海の向こうの業者に「小麦1トン」と注文するためには、供給される小麦は揃っている方が都合が良かったでしょう。

加えて、小麦を挽いて粉にする製粉の段階でも変化が起こりました。近代以前は、自分で栽培したいろんな麦類を、自宅の石臼を使って挽くか、近くの風車や水車を使った石臼で挽いて粉にし、それらをじっくり発酵させて、自宅か村の石窯で焼いたパンを食べる。もしくは粉にしないままオートミールのように煮てお粥のようにして食べていました。小麦などは製粉すると胚芽が破壊されて酸化しやすくなるため日持ちしなくなります。だから、なるべく近くで早く食べるべきという制約がありました。

ところが近代に入ると、この製粉過程も機械化されました。17世紀ころからしだいに、蒸気機関を動力とする鉄製のロール式製粉機が広まりました。エンジンで稼働するので、大量の小麦を製粉できます。しかも臼ではなく、鉄製の対となったロールを回転させそのかみ合い部分に小麦を通過させるので、短時間で多くの小麦を挽くことができます。

工場で動力と機械を使って小麦を製粉するようになると、大量の原料、つまり大量の小麦が必要になります。とくに、北米の大草原で栽培しやすかった硬質の春蒔き小麦がこの鉄製のロール式製粉機に適していたため、北米において商品作物としての小麦を大量生産するようになりました。つまり、農業が近代化・大規模化され、小麦を特産する地域が形成されていったのです。しかも機械で真っ白になるまで製粉した小麦粉は、胚芽などの油分が取り除かれて酸化しにくかったため、長期間保存して遠くまで輸送できるようになりました。つまり、遠くまで市場を広げたり、海外まで輸出したりしやすくなったのです。すると、小麦粉を使ってパンなどを作る食品製造業も、広範囲から大量の原料を調達して、ここでも機械を使って大規模化し、大量のパンや加工食品を生産できるようになった。するとそれら大量の加工食品を大量に販売する流通業や小売業も発展していく。

つまり、製粉業が機械化・大規模化すると、農業側に単作の大規模生産を求め、出荷先に大手パン工場など大量販売先を求めるようになるのです。

アルフレッド・チャンドラーという米国の経営史家が記したように、当時は、鉄道網と電信網が急ピッチで建設され、この輸送と情報システムの構築によって、多くの産業が大量生産と大量流通を急成長させた時代でした。企業には優れた経営陣も育ち、例えば製粉業では、粉砕機や鋼製ローラー、精製機、吸引機などを連続稼働できる大規模な製粉工場を設立・運営して、商品としての小麦粉の検査や等級づけなど品質管理も整備することで、高品質の小麦粉を安い単価で大量生産できるようになりました。

商品を大量に生産すると、それを大量に販売する必要性が出てきます。だから、市場で売れそうな商品を開発して、市場を広げる努力をして、なるべく原料などの費用は抑えて、なるべく高く大量に売ろうとする。つまり、大量生産・大量消費の始まりでした。

こうして、食と農の世界も、産業としての農業、食品製造業、流通・小売業がつらなる、資本主義的食料システムとして発展し始めました。他の産業と同じロジックで、競争しながら利潤を追求する、企業や事業者として「食べられる商品＝食品」を、なるべく安く生産してなるべく高く大量に売りたい、そんな食料供給システムに変わっていったのです。

近代日本に輸入された「メリケン粉」

こうして、北米産の小麦粉や中南米産の砂糖が、輸出用に大量生産されて、世界的に貿易される「商品」となったころ、日本は鎖国を諦めて市場を開いたのでした。

江戸時代の日本は、海外との交易を制限して、国内で産業も商業も発展させ、食料についてはほぼ自給できていたといわれています。ところが、1853年に黒船でペリーが来日し、鎖国を諦めて開国した話は学校の歴史の授業で聞いているでしょう。不平等条約によって関税自主権を持たないまま世界市場に門戸を開いた日本に、小麦粉と砂糖も輸入され始めました。

日本の食品産業発達史によると、[★10]近代以前の日本でも小麦を生産し、水車などの動力を使って製粉した小麦粉の生産もすでに自給用を超える商品経済レベルに成長していたとのこと。素麺《そうめん》で現在まで名を残す三輪、小豆島、播州、揖保などの産地において、素麺生産の一環として、国産小麦を水車などで製粉していたそうです。もともと日本では団子やうどん・素麺などの「粉食」が「ハレ」の日のご馳走として食べられ、うどんや素麺など製麺や、味噌・醬油などの醸造のための製粉に繫がった形で、小麦も生産されていました。

開国後には、それまでの日本で生産されていた小麦粉とは、ちょっと違う小麦粉が主に北米から輸入されてきました。日本の在来品種の小麦を主に石臼で挽いた「うどん粉」に比べて、主にアメリカから輸入されたため「メリケン粉(亜米利加《アメリカ》の粉)」と呼ばれた輸入小麦粉は、小麦の品種自体も違いましたが、加えて、機械で真っ白になるまで製粉された別物でした。1885年ごろから輸入が急増した機械製粉の小麦粉は、主に明治期に新しく誕生した製菓産業や製パン産業の原料として使われたそうです。製菓・製パン産業といっても、主要商品は軍用パンやビスケットなど、西南の役や日清戦争から使われ日露戦争において本格的に使われるようになった軍隊用食品が主だったとのこと。「量産的な軍需用ビスケットの市場が開けることによって、小麦粉の消費市場は本格的な発展の契機をうることができた」というわけです。つまり、輸入された小麦粉は、直接家庭に入って人々が食べたというより、日本で誕生しつつあった近代的食品産業の工業原料として受け入れられたといえます。よく聞く「消費者の食生活が洋風化したため小麦の輸入が増えた」という話と違うことに注目です。

ちなみに、外国人居留地として開港され、中華系の商人や労働者が集まって中華街を作り、輸入された小麦粉と牛脂を使ってラーメンを作り始めたのが日本式ラーメンの始まりといわれています。ジョージ・ソルト『ラーメンの語られざる歴史』(2014＝2015)によると、ラーメンは近代化で増加した都市部の労働者のための食として広まったとのこと。日本人が書かなかったラーメンの政治経済史が海外で出版されたというのも興味深いです。

こうしてすでに近代のはじめから、「世界商品」として貿易されていた小麦と砂糖が日本にも流入してきました。それらを取り扱う日本の製粉業や製糖業は、財閥系の大企業数社が市場の大部分を占める「寡占《かせん》」状態になっていきました。財閥研究の文献によると、1937年ころには、三菱財閥系の「日清製粉」が日本の製粉生産能力の約4割弱を、三井財閥系の「日本製粉」が約3割を担っていたとのこと。砂糖を作る製糖業についても、三井財閥系の「台湾製糖」や三菱財閥系の「明治製糖」が市場の多くを占めていました。砂糖に関しては、日本が台湾を植民地支配したため、政府と財閥と大企業とが絡み合っての製糖業発展でした。ちなみに、植物油を作る製油業については(これが私の研究テーマですが)、大倉財閥系の日清製油と、国策会社の南満洲鉄道中央試験所から鈴木商店に払い下げられて作った豊年製油とが圧倒的な大企業でした。

つまり、戦前、とくに第一次世界大戦後の不況期には、加工食品の原料となる製粉・製糖・製油などの食材産業において、すでに財閥系大企業が圧倒的に強い構造が確立していたのです。この中で三井物産や三菱商事などの財閥系商社が、輸入や植民地からの移入を中心とする原料の調達や製品の販売に加えて、大株主や債権者としても地位を確立し、食品工業経済の支配を強化していたのでした。

製粉・製糖・製油とも、大資本が先端技術の機械を導入した大工場を建設すれば大量の原料が必要になるため、均一な品質の原料を大量に調達できる海外からの輸入穀物が都合良くなります。このことが、小麦、砂糖、トウモロコシ、大豆などの穀物・油糧種子を輸入に依存している、日本の食料自給率が低い現状の要因の一つではないかと考えています。

●売り続けなくては成長できない

日本で小麦が普及した話といえば、第二次世界大戦後の「アメリカ小麦戦略」が知られています。戦争に負けて飢餓状態に陥った日本に、食料援助として、米国が過剰生産した小麦が日本に輸入され、学校給食で日本の子どもたちが食べて「餌付け」されたと。やがて日本が経済的に成長し始めると今度は商業的に米国産農産物の海外市場を開拓するため、キッチンカーを全国に走らせ「粉食」を普及したと。このため、戦後日本で「食の洋風化」が進み、パン食や肉・卵・乳製品など動物性食品の需要が増えて、だから日本の食料自給率は低くなったのだと通説的に語られています。

米国は、前述のように、ロール式製粉機の製粉工場に供給する小麦の栽培を増やしました。とくに第一次世界大戦のときには、戦場になった欧州の国々への特需として、当時普及し始めたトラクターなども活用して小麦の生産量を増加させました。途中、世界恐慌のときには小麦の価格も暴落しましたが、第二次世界大戦の特需でまた復活します。戦争とは、破壊行為であると同時に、特定の国や産業にとっては需要急増によって大儲けできるチャンスでもあるのです。こうして第二次世界大戦後までに、米国は世界的な小麦や大豆の大生産国になっていました。

需要と供給の法則に従えば、生産量(供給量)が増えすぎると価格が下がって値崩れしてしまいます(食料の場合は「豊作貧乏」ともいいます)。セオリー通りなら生産量を減らすべきなのですが、戦後の米国は小麦や大豆の生産を減らすことなく、代わりに海外へ販売先を拡大したというわけです。しかも、世界が東西に分かれた冷戦時代に、日本や欧州、そして「西側(米国側)」についた途上国に対して、食料をまるで武器のように戦略的に利用して、同時に、自国農産物の販売先を確保していたのでした。

小麦の価格も「金融商品」に

やがて、小麦を販売する市場を海外にまで広げるだけでなく、小麦の価格が「金融商品」になってきました(詳しくは「金融化」の章を参照ください)。今回、ウクライナで戦闘が始まった直後に小麦の価格を押し上げたのは、この商品取引市場での小麦先物価格の急騰でした。

世界の小麦の価格に影響を与える「シカゴ相場」と呼ばれる価格は、米国シカゴにある商品取引所(CBOT、現CMEグループ)での取引によって決められる値動きです。地図で見てもらったらわかるようにミシガン湖の南に位置しているシカゴは、小麦やトウモロコシの集散地点として発展し、1848年に穀物の取引所が設立されました。

詳しい話は後述しますが、世界恐慌後の1930年代に設定された穀物の取引に対する規制が1980年代から緩和され、また、情報工学を利用した複雑な金融派生商品(デリバティブ)も開発され、小麦の価格に紐付けていろんな「金融商品」が作られ、そこに農業や食品産業に関係ない「投機筋」が群がりました。現在では、小麦や大豆などを含む商品の先物取引契約のうち、実際に穀物の流通を伴ったものは2%以下とのこと。つまり、農業や食品産業の関係者が将来の価格変動リスクをヘッジするために行う先物取引より、短期的な儲け目当ての投機筋が取引の9割以上を占めている状態です。★11

この商品先物市場(コモディティ・マーケット)での値動きが2007～2008年に食料価格の高騰を引き起こしたことから、食と農の金融化の問題が議論されました。1980年代からの規制緩和によって商品取引に投機マネーが流入し、とくに穀物の先物取引や穀物の価格変動に紐付けられた金融派生商品(デリバティブ)が、投機目的の金融商品となって、このギャンブルのような値動きが、世界の食料事情に影響を与えることになったからです。

その時の反省が活かされないまま、今回また、ウクライナでの開戦直後にシカゴ相場が急騰し、「食料危機」が騒がれていると指摘されています。

このように、現在、世界の「主食」といわれる小麦も、自然現象として世界中の人々に食べられる食品になったというよりは、その背後に、資本主義経済を支える労働者の胃袋というまとまった市場が生まれ、そこに販売する「商品」としての小麦や、機械化した製粉業に原料を供給するため、特定の国で小麦を大規模に栽培・生産するようになり、生産が増えすぎると今度は海外にまで市場を広げていったという政治経済的な要因が大きく影響しています。そして小麦を取り扱う商社や食品会社も大企業となり、市場を寡占し影響力を強めていった。さらには、小麦の価格が「金融商品」になって、「投機筋」によるギャンブルのようなその値動きが、瞬間的に世界を食料危機に陥れるようになってしまった、というわけです。

2章

現代社会のグローバル化
～「比較優位」とは思えない モノカネの動き

新型コロナウイルスの感染が爆発的に拡大したとき、人の移動が止められモノの輸送も難しくなりました。生産するために必要なモノの調達や、生産物を消費者まで届ける「サプライチェーン」が寸断されたため、いろんなモノが品薄になったり、値上がりしたりして、多くのモノが遠い海外から来ていたことを思い出した人も多かったでしょう。農業の現場では、いろんな資材が輸入できなくなったり、外国からの労働者が来日できなくなって畑には作物が熟れているのに収穫して出荷することができない事態に陥ったところもあったそうです。いろんなモノが値上がりしていたところに、2022年2月にウクライナで戦争が始まると、穀物や肥料の輸入が危ぶまれたり滞ったり、加えて円安のため輸入費用が高騰したりしたため、さらに食料品が値上がりして「値上げラッシュ」が続きました。とくに輸入原料を多く使う加工食品が値上がりして、すでにコロナ禍で仕事をなくしたり減らされたりして困っていた人たちが、さらに追い詰められるようになりました。

日本はもう食料を輸入し続けることができないかもしれない、肥料もほとんど輸入だから国内での農業生産も難しくなるかもしれないとの不安から、『日本が飢える！』という本が出版されたり、[★12]「食料危機」や「食料安全保障」について政府も議論したりするようになりました。日本でも国民がきちんと食べられるように対策をとらなければとの認識が（ようやく少しは）広がったといえるでしょう。

政府や経済界は、国民に食料を保障するためには、国内の農業生産を維持・拡大することを基本におきつつ、加えて、貿易が自由にできる体制を維持することが重要と考えているようです。例えば、ウクライナでの開戦直後に外務省が開催したシンポジウムでは、「自由で公正な貿易体制の維持・強化や国際協力といった平時における備えの重要性」と「国家備蓄の整備や供給先の多角化といった有事での対応の重要性」が主張されました。[★13]

自由に公正に貿易することができれば、食料など必要なものを確保できて、みんなハッピーになれるのでしょうか？

今度、貿易に関するニュースを聞いたら、輸入する理由に耳を澄ましてみてください。食料が足りないから、国民が欲しがるモノを充分に生産するための農地が足りないから、だから日本は6割強もの食料を輸入しなくてはならないのだと。たぶんこんな理由づけが聞こえてくるでしょう。食料だけでなく他のモノでも、足りないから輸入するとか、それぞれの国が得意なモノを生産してお互い貿易した方が全体の満足度が増すとか。そんな教科書的な理由から、しかし現代社会における貿易はすでにかけ離れた状態になっています。まるで何でも地球規模に生産して貿易し合って販売しているような。

この章では、まずは、「自由」貿易が世界的に拡大強化されてきた経緯と、その理由づけの移り変わりをみてみます。何が正しいという考えも、時代によって変わることが多いのです。次に、モノを輸出入するだけでなく、お金や企業が国境を越えてビジネスを展開していくことによって、今どきの「自由」「貿易」がどう変わったかをみてみます。カッコ書きしているのは、「自由」といっても主に企業にとっての自由であって、「貿易」といっても国の間でモノを売り買いするだけの問題ではなくなっていることを示しています。

例えば、今どきの「自由」「貿易」体制のもとでは、小麦や大豆などの農産物を輸出入するだけではありません。みんながブクブク太って不健康になる「肥満を促す食環境」をまるっと輸出したり、同じ食品が何回も国境を越えて行き来したり、一つの加工食品があちこちの国で作られた部品を集めて「日本で組み立て」される状態だったり、しているのです。

このように生産・貿易・販売まで経済活動を地球規模に組み替えて、そこで利益を上げているのは、企業です。しかも企業は、利益に対する課税を上手に避けて「合法的に節税」する仕組みも利用して、むしろそのためにわざわざ国境を越えたり多国籍になったりして、グローバルなビジネス活動を展開しているそうです。

グローバリゼーションと貿易拡大の背景

たぶんみなさんの多くが生まれる前の１９８０年代から、「グローバリゼーション」と呼ばれる現象で、国を超えた地球規模での交流や通商が拡大していました。その結果、近くのスーパーやコンビニに行って商品を手に取れば、外国ルーツのモノをすぐ見つけることができるでしょう。

実際、農産物や食品の貿易量も世界的に急増しています。国連で農業や食料部門について担当している国連食糧農業機関（ＦＡＯ）によると、世界的な食と農の貿易は21世紀に入って

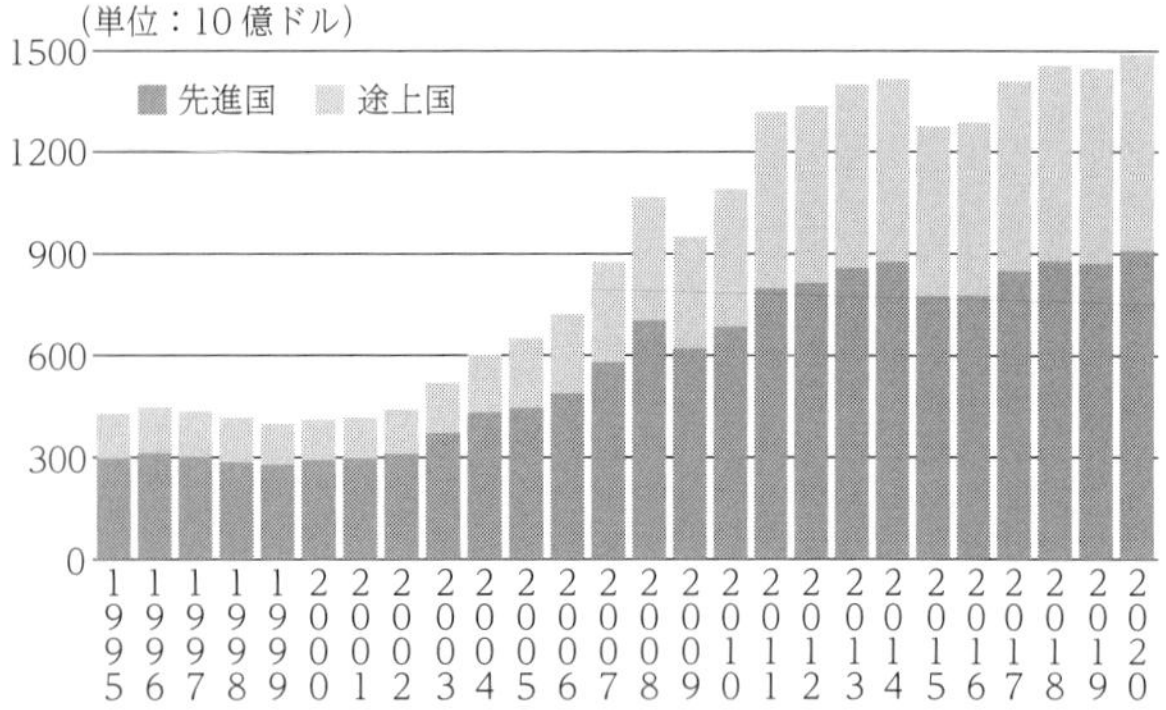

出典：FAO “The State of Agricultural Commodity Markets 2022”★17

図5　世界的な食と農の貿易の増加(1995～2020年)

から急増。1995年から2018年の間に6800億ドルから1・5兆ドル（2015年基準の実質金額）に増加しました。

なぜ、これほど大量の農産物や食料品を貿易するのでしょう？

経済の教科書を見れば、一国が必要なモノすべてを自国内で生産する自給自足的な経済より、それぞれの国が得意なモノを生産して、つまり国際分業して、生産したモノを交換（貿易）し合う方が、みんなの利益になるような記述があります。経済学者デヴィッド・リカードの「比較優位」という考えです。自由貿易の話になると必ずといって良いほど引き合いに出される考えです。

ざくっというと、それぞれの国が他の国と比べて、かつ、自国内の産業間でも比べて、どちらかというと得意なモノの生産に特化して貿易し合う方が、全体として100%以上を生産することができてみんなハッピーになれる、ような考えです。他に必要なモノは他の国から輸入すれば良い。そうすれば自国も他国も、全部を自分たちで作るよりトータルでもっと多くの生産物を手にすることができて、めでたしめでたし、という考えです。

この考えは19世紀ころに広まりましたが、だからといって、その後の世界でずっと貿易が自由だったわけではありません。むしろ1930年代に世界恐慌から不況が広がったときには、主要国が自国の生産と雇用を守ろうと保護貿易に走った時代もありました。英国は支配地を含めたポンド経済圏で囲い込み、仏国《フランス》もフラン圏で囲い込みと、世界を排他的なブロックで切り分けて対立し、結果、第二次世界大戦という大惨事に繋がってしまったのです。

その反省もあり、戦後の世界では、国際的に貿易ルールを作って、節度を持ちつつ、でも基本は自由に貿易しましょうという体制が作られました。

1944年7月には、米国のブレトン・ウッズという場所で国際会議が開かれ、戦後の国際通貨制度を調整するため、国際通貨基金(IMF)と、戦災に見舞われた国々の復興と開発を促進する国際復興開発銀行(世界銀行とも。今では発展途上国の開発支援が多い)が設立されました。IMFと世界銀行が率いた戦後の国際経済体制を、会議の開催地にちなんで「ブレトン・ウッズ体制」といいます。貿易を発展させるためには、ドル、円、ポンドという通貨が安定していないと困りますよね。ブレトン・ウッズ体制では、米ドルを世界の基軸通貨として、そのドルを金(ゴールド)1オンス=35ドルの割合で裏付けして、各国の通貨は米ドルに対して為替相場を維持するという固定為替相場制がとられました。当時は、いつ両替に行っても1ドル=360円だったのです。

加えて、1948年には、関税及び貿易に関する一般協定(GATT)と呼ばれる国際貿易体制が作られました。

こうして、基本的には自由な貿易の発展を提唱しながら、でも、通貨は管理していたし、国境を越える資本の移動を制限することも許されていました。また、農産物や繊維製品は特別扱いして自由貿易の対象外にしていました。戦後は、日本でも戦災や物不足のため食べられない人、餓死した人が多数いましたが、日本に限らず世界のあちこちで「飢えた記憶」がまだ強かったこともあり、食料は特別だから自由な貿易の対象から外して、国内の農業生産を強化して食料を確保するべきだとの考えも強かったのです。

　そのころ日本を含む主要国では、政府が経済にも積極的に介入して、国内の生産や雇用を確保し、社会保障を充実させ、福祉国家を目指すケインズ政策が強かった時代でもありました(この辺の歴史的な動きについては、前著『食べものから学ぶ世界史』も参考にしてください)。


　こうした「大きな政府」に支援されて歴史的な経済成長を遂げた戦後世界の「資本主義の黄金時代」は、しかし、１９７０年代ころには行き詰まってしまいます。代わって１９８０年代に台頭してきた「新自由主義」によって、貿易の自由化やさまざまな規制の緩和が良しとされ、経済のグローバル化が推し進められました。英国のサッチャー政権や米国のレーガン政権、日本でも中曽根政権や小泉政権によって、自由化、民営化(私営化)、規制緩和によって、効率性や経済成長を促し、政府は手を引いて「小さな政府」となり、「自由」な市場の競争に任せれば良いとされたのです。

　この新自由主義的な流れの中で、貿易も自由化が推し進められました。１９８６年から始まった「ウルグアイ・ラウンド」と呼ばれるＧＡＴＴの交渉において農業分野も自由化する交渉が進められ、結果、１９９５年には「農業に関する協定」も組み込んだ世界貿易機関（ＷＴＯ）が発足しました。ＷＴＯは農産物や繊維製品を含むすべての物を自由化の対象に含めただけでなく、サービス貿易や知的所有権（知的財産権）なども含み、ルール違反の国には司法的に対処することもできる、「自由」貿易を推し進める強力な機関となりました。

　この辺の「自由」とは、巨大企業が望むモノを生産し、望む所へ進出し、望む所から輸入する自由であり、企業が都合の良い所へ利益を貯め込む一方、租税の義務を避け、環境と健康の巨大な負担を社会に押し付ける自由であると、批判する声もあります[★14]。また、市場や民間に任せて政府は手を引く「小さな政府」が良いといいつつ、じつは企業にとって都合良いルール作りのためには政府にがんばってもらっている。単に政府が国民より企業のために働くようになったのだと批判する声もあります。

　新自由主義的な政策やＷＴＯ体制によってグローバリゼーションが推し進められ、後には自由貿易協定（ＦＴＡ）や経済連携協定（ＥＰＡ）など、少し仕組みを変えて、でも基本的に経済をグローバル化していく動きはまだまだ続きます。貿易体制の変化について詳しく話すと長くなるため、改めて別の本などを参考にしてください。

ようは、このようなグローバル化の流れの中に農業と食料分野も組み込まれ、農産物や食料品の貿易量が増加したということ。しかも、モノの輸出入が増えただけではなく、企業や資本も国境を越えるようになり、生産から、加工、流通、小売、外食サービスなど、農業や食料システム全体が世界規模に組み替えられたというわけです。

「肥満を促す食環境」も輸出する　米国→メキシコの話

より有利な条件で生産できる（＝比較優位な）モノに特化して輸出し合うという、モノの輸出入が単に「自由」化されただけでなく、企業や資本が比較的「自由」に国境を越えられるようになったことから、グローバル化が一段とレベルアップしました。

日本の企業や資本も海外に進出して、外国の農地や工場に投資して日本向けの農産物や食料品を生産して輸入する「開発輸入」も盛んになりました。日本の企業が外国の農地や工場から別の国に直接輸出することも。また世界的にも１９８０年代から、メーカー（食品加工や製造業の企業）が海外に工場を建て、スーパーやコンビニ（小売業）、さらにはファストフードなどレストランのチェーン店（外食産業）も海外進出しました。貿易の拡大に加えて、海外に投資して現地で生産や販売を行う「海外直接投資（ＦＤＩ）」が急増したのです。

こうして、農産物を輸出入するだけでなく、製造した加工食品を輸出入するだけでもなく、資本が海外に進出して、現地で生産や加工や販売などのビジネスを展開したり、現地から日本へ逆輸入したり、現地から周辺国へ輸出したり、その途中でさまざまな食や農の関係品をあちこち動かしたりするようになり、世界規模で食料システムを作り替えていきました。

ここでは、モノだけでなく、製造業や小売業や外食産業まで企業が海外進出したら、受け入れ国での食生活がどう変わるかの事例として、米国とカナダとの間で自由貿易協定を結んだメキシコがどうなったか紹介します。[★15] 米国で肥満を促していた企業群や商品群をメキシコに広げて、つまり「肥満を促す食環境」をまるっと輸出して、メキシコを米国以上の肥満国にしてしまった話です。

北米自由貿易協定（ＮＡＦＴＡ）とは、米国、カナダ、メキシコ３ヵ国の間で、相互に市場を開放するため１９９４年に発効した協定です。「市場を開放」というのがポイントです。

この「自由」「貿易」協定により、3ヵ国の間ではすべての品目の関税を原則として撤廃し、金融市場も自由化し、つまり、国は違っても一つの市場のようになりました。

ところが、米国とメキシコとの間には経済的に大きな差があり、企業の力も半端なく違いました。一つの経済圏になったといっても、メキシコの企業が米国に進出するより、米国の企業がメキシコに進出する方が多かったのも当然でしょう。そのため、例えば農業・食料部門では図6のように、生産から加工、流通、小売まで、食料システムの各段階で米国の企業がメキシコに進出していきました。米国の資本がメキシコの農場に投資して現地生産を増やしたり、米国で栽培したトウモロコシを輸出したり。製造業では、米国の食品加工企業がメキシコに進出して現地の工場でアメリカンな食品の製造を始めたり、小売業や外食産業では米国のスーパーマーケットやファストフード店がメキシコ市場に進出したりして、アメリカンなソフトドリンクやハンバーガーなどを販売する。

つまり、「自由」「貿易」協定がモノの輸出入をしやすくしただけでなく、いろんな規制も緩和して国境を越えた投資や企業活動の拡大もしやすくして、ほとんど米国からメキシコへの一方通行で、農業生産から、食品の加工、小売での販売、外食産業、さらには販売促進の

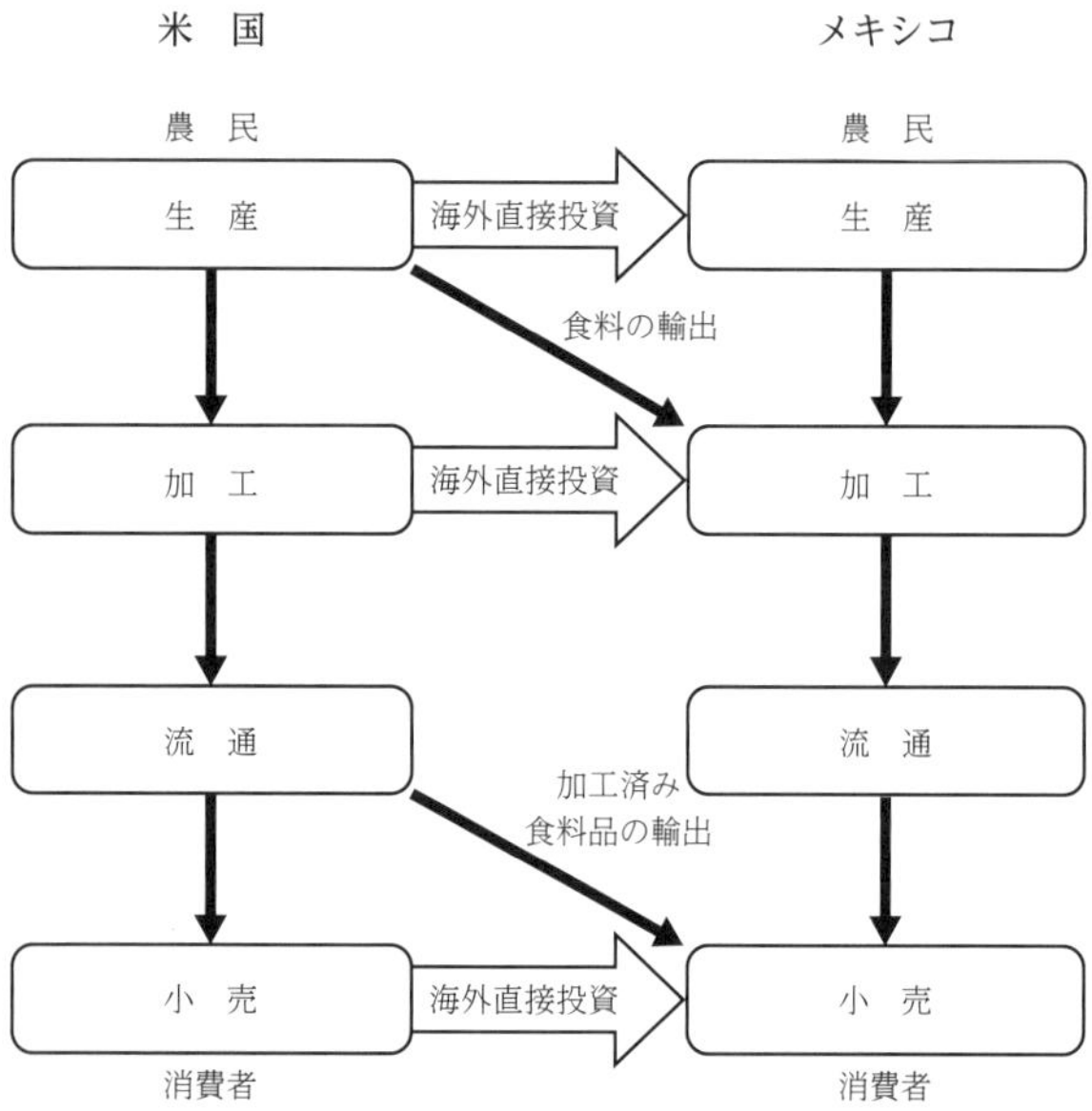

出典：Clark et al. 2012 ★15

図６　NAFTA による米国からメキシコへの食料システムの統合

ための宣伝やマーケティングなども、企業がほとんど自由にできるようにした。結果、アメリカンな食生活がメキシコに導入されて、メキシコでは貧困や格差の問題などさまざまな理由も絡み合って、メキシコは米国を超える肥満国になってしまっていたというわけです。

逆にメキシコから米国へは、安い米国産トウモロコシの流入に太刀打ちできなかった農民たちが移住して（多くは密入国して）、移民労働者として劣悪な条件で働かざるを得なくなりました。

今どきの「自由」「貿易」協定が、企業に国境を越えてビジネス展開する自由を与え、企業に市場を開放し、企業の利潤を上げて資本を蓄積することの一例でした。

アグリフード・グローバル・バリュー・チェーンの発展

ニュースなどで、日本は「小麦を輸入」「大豆を輸入」という表現を耳にすると思います。確かに小麦や大豆などの食料(農産物)も輸入していますが、私たちが驚くようなありとあらゆるモノが、船や飛行機によって、国境を何回も越えて、輸出入されています。例えば、牛肉や豚肉だけでなく生きている牛や豚などや、殻付きの卵だけでなく、殻付きでない卵、卵黄だけ、生の卵、乾燥した卵から、卵焼き、オムレツ、スクランブルエッグなど調理した食品まで。つまり、一次処理したものや、途中まで調理したもの、加工食品として完成したものまで、加工度のさまざまな段階で、あちこち国境を越えてから私たちの食卓に届いているのです。

このように、現在の食と農の貿易では、農産物そのものを輸出入するというより、「調整品」とも呼ばれる加工食品の貿易が多くなっています。さまざまな調理段階で国境を越える加工食品が貿易統計にどれほど正確に反映されているのか疑ってしまうほど、一つの農産物が多品目に分散されてあちこち動かされているようです。

ちなみに、食と農に限らず、今どきの国際貿易では、同じ産業の商品を双方向に輸出入する「産業内貿易」や、親会社と海外子会社、海外子会社同士など、多国籍の企業グループの中で貿易する「企業内貿易」が増えているとのこと。2010年時点の推計で、世界の財・サービス貿易の約三分の一が企業内貿易で、約8割が多国籍企業関連だそうです。[★16]

もう、不足するから輸入するとか、余ったから輸出するという時代ではなく、このように同じ産業の中で、もしくは一つの企業や企業グループの中で、国境を越えた生産体制が作られているということです。

生産のための資材の調達から製造した製品や商品の販売までの工程を示す「サプライチェーン」に加えて、近年では「グローバル・バリュー・チェーン(GVC)」という言葉を耳にすることが多くなりました。ざくっというと、生産工程を世界規模に展開させる動きというか、一つの製品を作るための国際分業体制という感じです。つまり、あちこちの国で部品をそれぞれ作って、それらをどこかに集めて組み立てて、製品として仕上げる感じ。例としてiPhoneでよく説明されています。みんなが使っているかもしれないスマートフォンは、米国アップル社の製品です。でも、その部品はあちこちの国々で作られ、それらの部品が最終的に中国の工場に集められて組み立てられると「Assembled in China(中国で組み立て)」と表示される。でも製品設計やデザインなどは米国カリフォルニア州のアップル社で行われるので「Designed in California(カリフォルニアで設計)」と表示される。という感じで、もう「どこ国製」と言えば良いかわからないほど、生産の工程が世界規模に分散されているのです。

よくあるパターンとしては、デザインなど付加価値率の高い工程(つまり一番儲けられる部分)は先進国の企業が担当し、部品の製造や製品の組み立てなど付加価値率の低い工程(つまり低賃金の労働者を使える部分)は途上国で行われるとのこと。これを「スマイルカーブ」と表現できるそうです(図7)。

このGVCが、食と農の世界でも増えており、すでに世界の食農貿易の三分の一はGVC

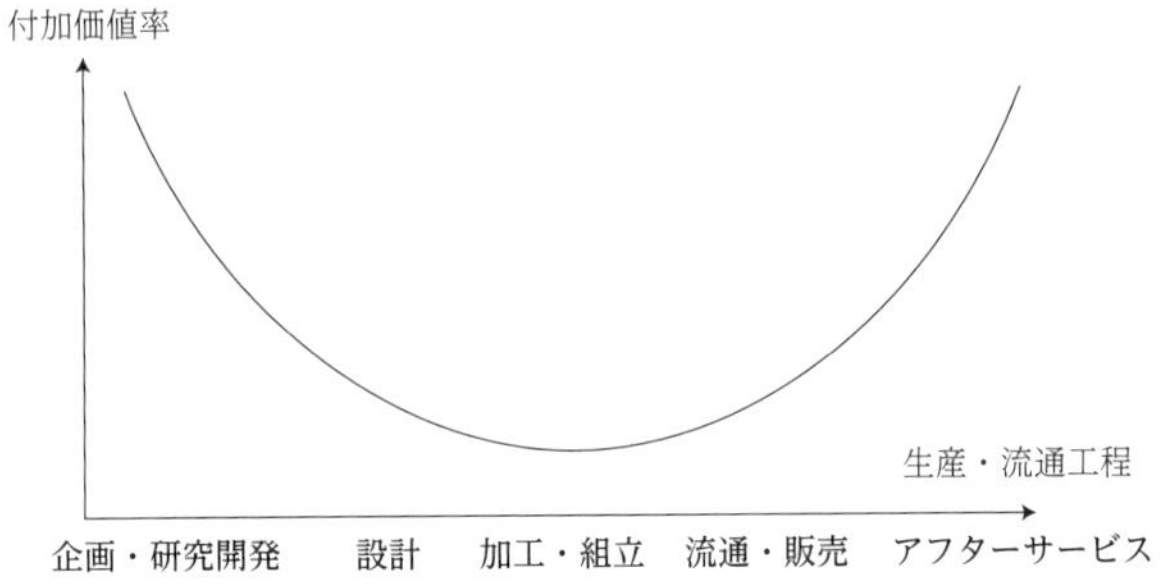

出典：妹尾ら，2021 年，p. 142 より★16

図 7　GVC におけるスマイルカーブ

に組み込まれているとか。★17 そこでは、小麦や大豆など農産物が原料として輸出され、輸入した別の国で加工され、さらに別の国へ輸出される、もしくはいくらかは原料の輸出国に逆輸入されるなど、国境を2回以上越えたり、ときには同じ国境を行ったり来たりすることも増えているそうです。農業のために必要な種子や肥料などの資材も輸出入され、「食品」といっても、一次処理だけした加工品や、もう少し加工度の高い中間財や、関連するサービスなども、3ヵ国以上の国々に散らばり世界的に展開されているとか。

例えば、生産地がA国でも、そこに進出したB国出身の企業にC国から投資が集まり、D国から来た労働者が働き、生産財はE国の物を使い、F国での加工を経て最終製品がG国に出荷されるなど。これほどモノが国境を越えることに加えて、投資や労働者も複数国にまたがる場合、この商品は「どの国産」と呼べば良いのでしょうか。

食品も「Assembled in Japan（日本で組み立て）」？

近年日本では、国内で製造または加工されるすべての加工食品に、原材料の原産地を表示するようになりました。加工食品の原材料がどこから来たか、食べる側としてはぜひ知りたい情報ですが、これだけあちこちで作られた原材料を使って、ときには何度も国境を越えて動かして、商品を完成させている今どきの食農GVCでは、この表示は非常に複雑になって、次のような、努力は認めるけれど正直わけがわからない状態になったりしています。

この表示では、重量割合1位の原材料、つまり最も多く使われた原材料の原産地を表示することが義務づけられています。ただ、2ヵ国以上の原産地の材料を混ぜた場合は、ときには「カナダ産、アメリカ産、その他（豚肉）」や「輸入又は国産（豚肉）」と表示されるとのこと。★18 いったいどこから来た豚肉なの？と思ってしまうのは私だけでしょうか。また、輸入した小麦でも日本で製粉した場合は「小麦粉（国内製造）」となります。うっかり国産小麦と勘違いしそうになるのは私だけ？　確かに製粉して小麦粉を製造したのは国内だけれど、その原料である小麦は外国産なのに。

政府は国内の農業を支えるためにも、消費者に理解して国産を選んで欲しいと願っているようです。原材料の原産地を表示することは、消費者に国産の農産物を選んで欲しい、企業にも国産原料を使って欲しいための努力と聞きました。でも実際には、いくつもの国で生産された原料から、いくつもの国で途中まで調理した食品を輸入して、最後の工程だけ国内の工場で仕上げた「Assembled in Japan(日本で組み立て)」な食品が国産っぽく表示されることもあるのではないかと疑ってしまいます。

食と農もグローバル化された現代社会において、「国産」とは何なのか、悩ましい。コメやダイコンなど原形を留めた農産物であればわかりやすいかもしれないけれど、でもじつはその肥料や種子など農業資材はかなり輸入に依存していることも多いとか。実際、国産の卵や肉や乳製品も、その鶏や豚や牛を育てるエサ(飼料)は大部分が輸入です。

近いうちに、外国の企業が外国人労働者を使って日本で生産した「国産野菜」や「国産牛」も増えるかもしれない現代社会において、どうやったら正しく消費者に「国産を選んで欲しい」と言えるでしょうか。

ＷＴＯなどによる貿易自由化や規制緩和と、食や農のＧＶＣの発展と、どちらが先かは「鶏か卵か」的な議論で、これらは絡み合いながら食と農のグローバル化を推し進めてきたといえます。これだけ何度も国境を越えてモノを動かしながら生産するためには、輸送費用や、国境を越えるためのコストが、限りなく少なくなることが必要です。だからこそ、ＧＶＣを展開したい企業側から、政府や国際協定に貿易自由化と規制緩和を進める動きもあります。

いずれにしても、地球規模で何度も国境を越えてモノを動かすことによって、「効率良く採算がとれる」、つまり、低コストで競争力のある食品を生産・供給できる食料システムが形成されました。地球の裏側から輸入して加工して何重にも包装した食品の方が、近所で栽培されたむき出しの野菜より安く売られるようになったのです。こうして、グローバリゼーションや新自由主義的な政策によって作られていたグローバルな食料供給システムが、パンデミックや戦争によって寸断されて、その脆《もろ》さや危うさにようやく世間の目が集まったのでした。

では、なぜ、世界中にモノを動かした方が「安く」できるのでしょう。

輸入品はなぜ安い?

写真は、私が10年ほど前に近くのスーパーで撮ったものです。国産品と輸入品の違いがよくわかると思って。日本でお馴染みのカボチャが、輸入品は100グラム28円に対して、国産品は88円。どちらが売れるか。お店の人もわかっているのでしょう、安い輸入品の方が多く並べられてありました。見た目はほとんど同じだし、たぶんほとんどの人は値段を見て安い方を選ぶでしょう。

個人の消費者だけでなく、学校給食の関係者も、食品会社も外食産業も、国産の農産物を使いたくても予算が限られているから安い輸入品に頼らざるを得ないという声をよく聞きます。ではなぜ、輸入品は国産品より安いのでしょう。遠い外国から買い付けて、日本まで船や飛行機で輸送してきて、いろんな手続きに人手を取って、それでも国産より安くできるのはなぜ? 海外では広い農地で大量生産できるから、人件費が安いから、関税や輸送費が安くなったからなど、教科書的な答えをよく聞きます。それもあるかもしれない。でも加えて、現実の世界には、貿易した方が値段を押し下げ利潤を増やすことができる、意図的に作られたカラクリもあります。その一つが「タックスヘイブン」と呼ばれる、合法的に「節税」できる仕組みの活用です。

税金制度の役割の一つに、所得や富の再分配があります。たくさん稼いだ人や儲けた企業にはそれに見合う税金を払ってもらって、そのお金で福祉的な支援を賄おうと。稼いだのは個人や企業の努力、「稼げないのは自己責任でしょ」という声も聞こえてきそうですが、お金儲けに使われている道路や港や研究成果などには税金で作られたものも多いし、世の中には格差の構造があって個人の努力ではどうにもできない部分もあります。

でも、利潤を追求する企業としては、税金はできるだけ減らしたい。そして世の中には「合法的に」

出典：京都市内にて，筆者撮影，2013 年

図 8　輸入品と国産品で 3 倍の価格差

税金を減らすタックスヘイブンの仕組みが作られてきました。

タックスヘイブンとは「租税回避地」とも呼ばれる、所得税、法人税、その他もろもろの課税を免除もしくは軽減している特定の国、都市、島で、個人や企業が税金を逃れられるところです。カリブ海のケイマン諸島や南太平洋のニューヘブリデス諸島など、エキゾチックな南の島々や小国がイメージされやすく、一部の強欲な金持ちや巨大企業のケシカラン話と思われがちですが、じつは、表の経済をどっしり支えている基盤的な裏の構造だったりします。タックスヘイブンはグローバル経済の中心に構築されてきて、じつは世界で最も重要なタックスヘイブンは米国ニューヨークのマンハッタンで、2番目が英国ロンドンのシティという、表の経済界でも主力の金融センターなのだそうです。だからこそ、世界の貿易取引の半分以上が「書類上は」タックスヘイブンを経由して、すべての銀行資産の半分以上、海外直接投資の三分の一が「オフショア(域外)」経由で送金されているという。企業はこのカラクリを利用するためにも、多国籍化したり国境を越えてモノやサービスを動かしたりするという。まさにグローバリゼーションを推し進めてきた原動力と思われます。

食や農も組み込まれているタックスヘイブンの世界[19]

私にタックスヘイブンの重要性を教えてくれたのは、留学時代にロンドンで参加したあるシンポジウムでした。「シティ」といえば、ロンドン金融市場の別名、世界の金融センターです。そのロンドンでは、巨大な金融機関を批判する抗議活動も珍しくありません。この問題に長年取り組んでいるNGO「Tax Justice Network」(https://taxjustice.net)によるプレゼンテーションで、バナナの貿易を例に、タックスヘイブンがどう利用されているか紹介されました[20]。

先ほど「書類上は」と書いたように、物理的なバナナの貨物が大西洋をまっすぐ横断している間に、この貿易に関する書類は、ケイマン諸島、バーミューダ、ジャージー島、マン島、アイルランド、ルクセンブルクなどを手続きとして経由していく。各地でブランド使用料や金融・保険のサービス料などいろんな名目の「コスト」を計上して回り、結果、そのバナナを販売する英国では、残りわずかになった利益を計上してそれに対する少額の税金だけを払う。つまり、書類上だけ「タックスヘイブン」と呼ばれる租税回避地を渡り歩き、途中でいろんな名目の経費を計上したりして、その富は生産国でも消費国でもない「オフショア」に

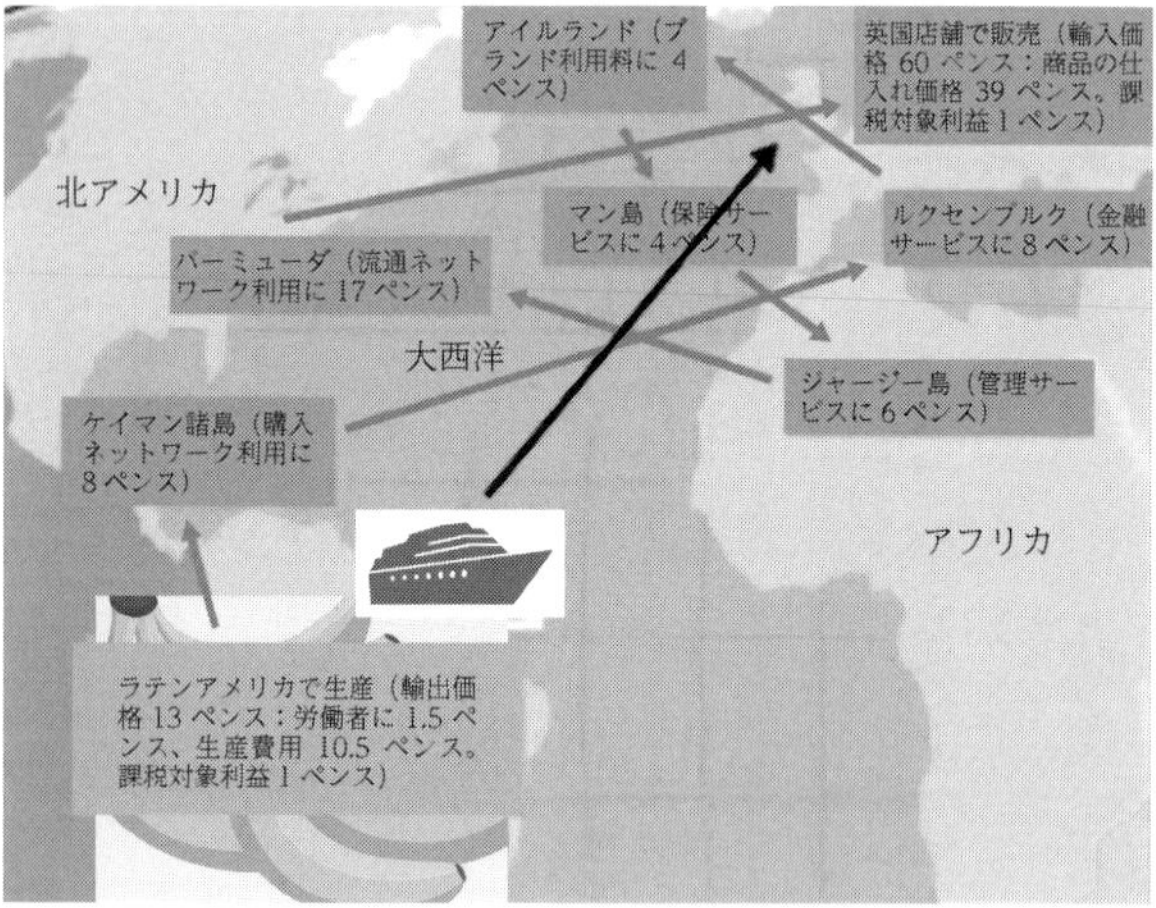

出典：Tax Justice Network の John Christensen 氏による講演(2011 年)より作成★ 20

図９　バナナ貿易とタックスヘイブンの活用法

吸い上げられる。結果、このバナナは英国の店頭では実際の生産や輸入にかかったコストとはあまり関係ない値段で販売され、関連企業は「合法的な節税」を行うことができるというカラクリです。その他にも「ほんと、すごい！」と感心するくらいマニアックな手法がいろいろ考案されているようです。

ロンドン講演のときに紹介されて読んだ本が、ニコラス・シャクソン『タックスヘイブンの闇――世界の富は盗まれている！』(日本語訳は２０１２年に出版)でした。元のタイトルは『Treasure Islands(宝島)』とスティーヴンソンの海洋冒険小説からとったものですが、その内容は、秘密が多すぎて経済学の教科書には書けない、でも現実経済の根幹をがっしり支えている、不文律のシステムでした。この本からかいつまんで紹介すると、次のようなカラクリです。

タックスヘイブンは、税の「ヘイブン(避難所)」つまり租税回避に加えて、高い守秘性を確保し、納税の義務や、金融規制、刑法、相続法などに従う義務からの逃げ場を提供しています。こういう「オフショア」は案外私たちの身近なところにあるとのこと。南の島々だけではなく、じつは、表の経済界でも主力といわれる、①ヨーロッパ各地、②英国圏、③米国圏に、世界の三大オフショア・グループが作られているそうです。①ヨーロッパでは、第一次世界大戦を戦うために各国政府が税金を引き上げたとき、その増税から逃れるためスイスやルクセンブルクなどがさまざまな資産を受け入れたとのこと。また、株式会社や資本主義の誕生の地ともいわれるオランダも、じつは資産の身元や性格を変えてくれる「導管的タックスヘイブン」だそうです。②英国圏のタックスヘイブンについては、大英帝国の作り直しといわれるようなシステムが再構築されている。★21 王室属領のジャージー、ガーンジー、マン島やケイマン諸島など実質的に英国が支配している海外領土があったり、1997年まで英国領だった香港や、シンガポール、バハマ、ドバイ、アイルランドなど、独立してはいるけれどまだ英国、とくに「シティ」と繋がりが深い国や地域が組み込まれていたりするそうです。

③米国圏としては、もとは旧宗主国のタックスヘイブンに反対していた米国も、「やっつけられないなら参加しよう」とでもいうかのように、1960年代ころからオフショアに流出し、1980年代ころからは海外資金の流入が欲しかった米国自身を世界で最も重要なタックスヘイブンに変えてしまったとのこと。表の金融センターであるウォールストリートが、じつは裏のオフショア・システムでも主力であり、州レベルで国内外からの資産を呼び込むオフショア設定もあり、加えて、米国もヴァージン諸島やマーシャル諸島など海外にオフショアのサテライト・ネットワークを持っているし、タックスヘイブンとして名高いパナマとの関係も深いそうです。

なぜタックスヘイブンを理解することが重要なのか

タックスヘイブンについて知ったとき、私はなるほどと妙に納得でした。教科書的な比較優位などでは説明できない、国境を越えた商品が不思議なほど安くなる理不尽が見えてきたような。

オフショアを活用した租税回避産業のパイオニアは、20世紀前半に大西洋にまたがる食肉ビジネスを展開したヴェスティ兄弟と紹介されています。その成功の秘訣とは、「生産者の側で搾り取り、消費者の側で搾り取って、すべての利益を真ん中に押し込むこと」とのこと（『タックスヘイブンの闇』p.56）。秘密主義が強くてデータがないため研究し辛いところですが、現在の食や農の貿易にもタックスヘイブンが深く食い込んでいることでしょう。

日本では2016年の「パナマ文書」リークによってタックスヘイブンが騒がれた感がありますが、世界的にはずっと前から、辛抱強くこの問題に取り組んできた市民団体や研究者がいました。粘り強く問題追及してくれた人たちがいたからこそ、「パナマ文書」に続いて「パラダイス文書」など、隠されていた情報が引き出されたのです。その後、日本でもいくつか本が出されているので、よかったら読んでみてください。

ポイントは、タックスヘイブンは決して一部の個人や企業によるケシカラン行為というだけではなく、このオフショアを活用した利潤最大化と合法的な節税法は「今や一般化した企業戦略」といえるほどのものであること(中村 p.i[★19])。先に書いたように、世界の貿易取引の半分以上、すべての銀行資産の半分以上、海外直接投資の三分の一がオフショアを経由しているならば、企業の経営者としてはこの「世界ルール」に参加するしかないと思う人も多いでしょう。このために、各地に子会社やグループ会社を設置して、多国籍企業になる動きもあるとのこと。多国籍の企業グループができれば、その企業内貿易で、ブランド使用料などいろんな名目に理不尽な金額を設定して「移転価格操作」を行うことも可能となり、利益をどこに落とすか操作できるようになる。ちなみに、今どきの世界貿易は企業内貿易が主流で、そのグローバル・バリュー・チェーンに食や農の貿易も組み込まれていることは前に紹介したとおりです。

現在、社会の情報化、マネー・キャピタリズム化、サービス化というグローバリゼーションの進展によって、世界はますますタックスヘイブン化しているらしい。そのため、「富と権力を貧しい人々から豊かな人々に移転する史上最大の力」のカラクリによって闇の世界に、20～30兆ドルという金融資産が流れ、年間2400億ドルから、社会保障費の歳入ロスを含むと7000億ユーロにおよぶ税収が、世界的に失われているそうです(中村 p.1[★19])。この世界に、「強い農業」を目指して日本の農産物や食品を売り込もうなんてそもそも無理だと思うのは私だけでしょうか。そもそも、タックスヘイブンに富を吸い上げられ続けたら、国家も私たちも地球の自然環境も、もう長くは持たないでしょう。予算がないからと削減される、農村への投資、子育てや教育への投資、保健やケアへの投資などなど、「合法的な節税」による税収ロスによって正しい富の分配機会が奪われていると思います。

このように、貿易を自由に公正に発展させたら「比較優位」で全体が発展するという、教科書的な考えと現実とが大きく乖離しているのが現代社会のグローバル化だと思います。貿易の主体は国というより企業であり、地球規模にビジネスを展開して多くの利潤を手に入れているのは企業であり、その企業も介入しながらさらに「貿易」「自由」化が推し進められている現在。「自由で公正な貿易」なんて上辺の言葉に惑わされずに、実際には生産者や消費者の理解や努力だけでは太刀打ちできないカラクリもあることを認識し、そこから問題に取り組むことが重要だと思うのです。

3章

現代社会の巨大企業
～「完全競争市場」なんてどこに？

貿易の主体は企業

世界が食料危機に陥る！　との不安が高まり（高められ）、まだ戦闘が続くウクライナから穀物輸出を再開しようと、国際的な会議や外交的な交渉が重ねられました。結果、その年の夏（2022年8月）、ウクライナから穀物船が出航し、その第一便の船がレバノンに到着しました。めでたしめでたし、と思いきや、受け入れ側の「業者」が配達の遅れを理由に貨物の受け取りを拒否。貴重な穀物を乗せた船が荷下ろしできず海をさまようという事態が発生しました。このニュースを聞いて拍子抜けするとともに、貿易とは「ウクライナからレバノンへ輸出」など国家を主語に語られることが多いけれども、実際に貿易を行っているのは企業なのだということを改めて思い知らされたものです。

辞書にも貿易とは「国際間で財物を交換すること」（『広辞苑』）と説明されているように、ニュースでも教科書でも貿易統計でも、A国が輸出してB国が輸入してと、貿易とは国と国の間の取引として国を主語に語られます。先に紹介した自由貿易を支援する「比較優位」の考えも、A国とB国など国を単位として比較しています。でも実際には、貿易の主体は企業なのです。大航海時代から近年の中国による「一帯一路」まで『貿易の世界史』を語った福田邦夫によると、「貿易は多国籍企業にとって利潤追求の道具であり、その道具を使って利益を得るのは国民ではなく私企業なのだ。まるで毛細血管のように全世界に張り巡らされている貿易・生産ネットワークは、富を全世界に平等に行き渡らせる役割を担っているのではなく、巨大企業の手中に富を集積・集中する役割を果たしている」(p.15)とのこと。★22

現在は、親会社と海外子会社、海外子会社同士など、まさに多国籍企業がそのグループ内で取引する「企業内貿易」が多いと前章で紹介しました。でも、いろんな形を取りながらも、かなり昔から、貿易の主体は企業だったようです。1980年代から始まったグローバリゼーションの時代よりずっと前から、国家が特権を与えた帝国主義欧州諸国の東インド会社の時代から、さらには国民国家が形成される前の時代から。

食と農の世界でも、ニュースの報道や教科書の記述では、なぜか生産者と消費者、日本と米国など、人や国が主語に語られることが多い。けれども現実の社会では企業こそが、貿易の主体となったり、需要や供給に影響を与えたり、モノや政治経済を動かす大きな力となったりしています。

この章では、現代社会を動かしている巨大企業について、食と農の分野から紹介していきます。食と農に限らず、いろんな分野で似たような現象が起きているはず。つまり、企業が巨大化し多国籍化して、富と力を集中させ、市場や政治経済に影響を与えて、私たちの食べるモノ、使うモノ、生活、そして「何が良いか」という考えや人生にまでに影響を与えていると思うので。世界でも日本でも、近代のはじめから大企業が私たちの生活や政治経済のかなりの部分を作り上げてきたことを理解して、その上で、大きいことは良いことばかりかどうか、考えてみてください。

巨大化するアグリフードビジネス

海外旅行をしたとき、せっかく飛行機で遠い国まで行ったのに、旅先の空港やデパートや町中で日本でもお馴染みの外食店を見かけたことはありませんか？　例えば、ハンバーガーのマクドナルドは、100以上の国と地域で約4万店舗を展開しているそうです。あまりに世界中にあるので、その定番商品ビッグマック1個の価格を比べて各国の経済力(購買力)を計るために使われているほど(「ビッグマック指数 Big Mac index」)★23。日本の企業もグローバル化していて、例えば牛丼の吉野家は、日本全国の店舗数1190店に対して、海外1500店舗を持つ「世界のYOSHINOYA」を目指しているそうです。ハンバーガーや牛丼だけでなく、ラーメンやカレーなどの外食店も、醬油や乳製品などの加工食品企業も、スーパーやコンビニなど小売店も、日本からも大企業が地球規模にビジネスを展開しています。

このような食と農の分野における大企業を「アグリフードビジネス」とも呼びます。

食と農の生産から消費までの各段階で大企業が力を持つというのはどういうことかというと、大農場に農地が集められ、大手の運輸ルートや倉庫を通じて調達・流通され、大手食品企業の大工場で加工された食品が、グローバル展開するスーパーやコンビニで販売されたり外食店で提供されたりすること。種子や農機具など生産のための農業資材分野でも大企業がますます大きくなっています(後述の図20も参照)。裏を返せば、小さな農地で多品目を生産する農民は種子の入手も収穫物の出荷も難しくなり、食べる側の消費者も主流派から外れた食品は高くなったり入手が難しくなったりして選択肢が狭められる恐れがあります。

ある市場のすべてを1社が支配する「独占」に対して、市場の大部分を少数の大企業が支配する形態を「寡占《かせん》」といいます。今の世の中、完全に1社が独占している市場もないけれど、完全にみんなが自由に平等に競争している、教科書通りの「需要と供給の法則」が機能する「完全競争市場」もほとんどないでしょう。少数の企業が市場で優勢になれば、そこにパワー(力)が集まり、市場での価格決定に影響するだけでなく、どんな商品を供給するか／どんな商品を良いと考えるかなどにも影響を与え、また商品に関するいろんな決まりごとにも影響を与える。つまりその産業や商品に関わる政治経済にも影響を与えるようになります。

では、実際にどんな企業がどれくらい市場を支配しているのか。いろんな研究者や市民団体が調べてくれています。

例えば、私たちが何を食べられるか、農業の基盤ともいえる種子は、今では片手で数えられる数社が世界の種子産業を支配していることが知られています。これを調べて図示したのが図10です。★24 遺伝子組み換え作物などでかつて有名になったモンサントはバイエルに買収さ

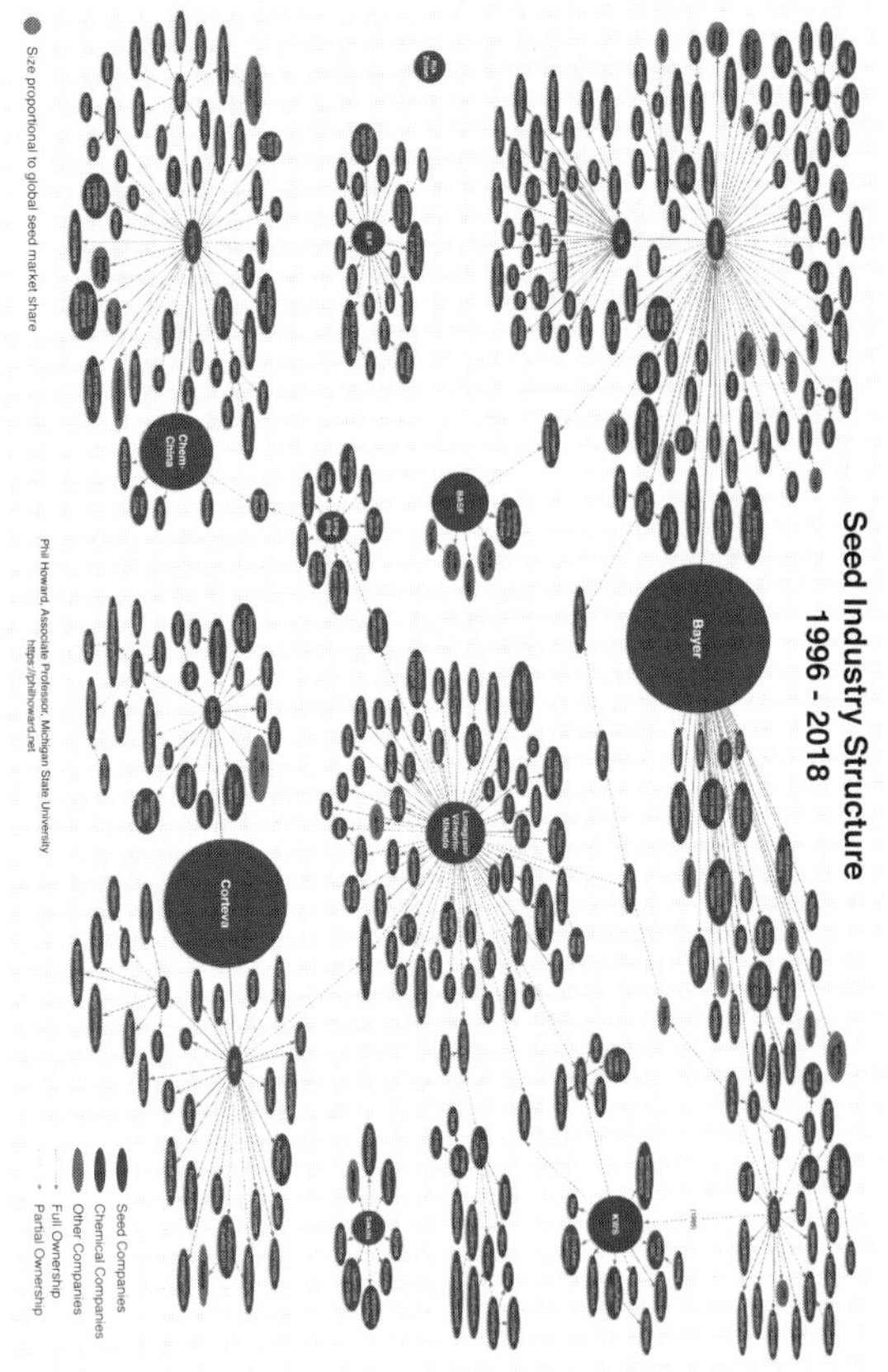

図10　世界の種子産業の構造　1996～2018年

出典：Howard氏サイト(https://philhoward.net)より★24

れ、化学工業でも有名なデュポンとダウが合わさってコルテバにと企業間の再編成も経て、２０１８年現在では４社が世界の種子市場の約６割を占めているとのこと。世界でたった４社です。

また、小麦、トウモロコシ、大豆など、穀物や油糧種子を扱う巨大穀物商社も「穀物メジャー」として知られています。アーチャー・ダニエルズ・ミッドランド、ブンゲ、カーギル、ルイ・ドレフェスをまとめて「ＡＢＣＤ」と呼ばれるほど。この４社に繋がる企業グループは、近代のはじめから欧米出身の創業者家族を中心に成長し、世界の穀物貿易の８〜９割をコントロールしているといわれています。これだけ巨大な企業グループでも株式を公開していない非上場企業もあるため、具体的な情報は不明瞭な部分もあります。それでも「この世界には、自由市場で取引されている穀物など、一粒たりとも存在しない。一粒もだ！」[★25]という発言が記録されるほどなので、日本の私たちの食卓にも影響を与えていることは確実でしょう。

これらの大企業は穀物商社といっても、小麦、トウモロコシ、大豆や綿実など油糧種子やパーム油、砂糖などの農産物を貿易しているだけではありません。これらの穀物を製粉、製油、製糖する一次加工や、これらの食材を使った食品製造業、さらにはこれらの穀物・油糧種子を栽培するための農業資材や、これらの穀物・油糧種子をエサに多用する畜産業、これらを原料とするバイオ燃料、またはこのすべてに関わる金融業や情報産業などを含みます。つまり、食料、飼料、燃料(food, feed, fuel)から金融業、データデジタル分野まで、生産から消費までの垂直(タテ)方向と多分野にまたがる水平(ヨコ)方向とに、そして地理的にもグローバルに、広くビジネス展開しているのです。[★26]

欧米出身で世界展開しているABCDに加えて、近年ではシンガポール出身のWilmar Internationalや、中国政府がらみのCOFCOなど、アジア系の企業グループの台頭も注目されています。加えて、世界的な穀物商社を目指す丸紅や、アジア最大の農産物インテグレーターを目指す伊藤忠商事を含む、日系の総合商社についても見逃せません。[★27]

このような種子産業や穀物メジャーを含む、農業生産前の資材から、生産後の集荷、加工、流通、小売、外食の、私たちの食生活を支えている農業・食料システムの各段階において、どのような企業がどれくらい市場を支配しているのでしょうか。

図11は、世界市場における上位4社が市場のどれだけを占めているかを示しています。現

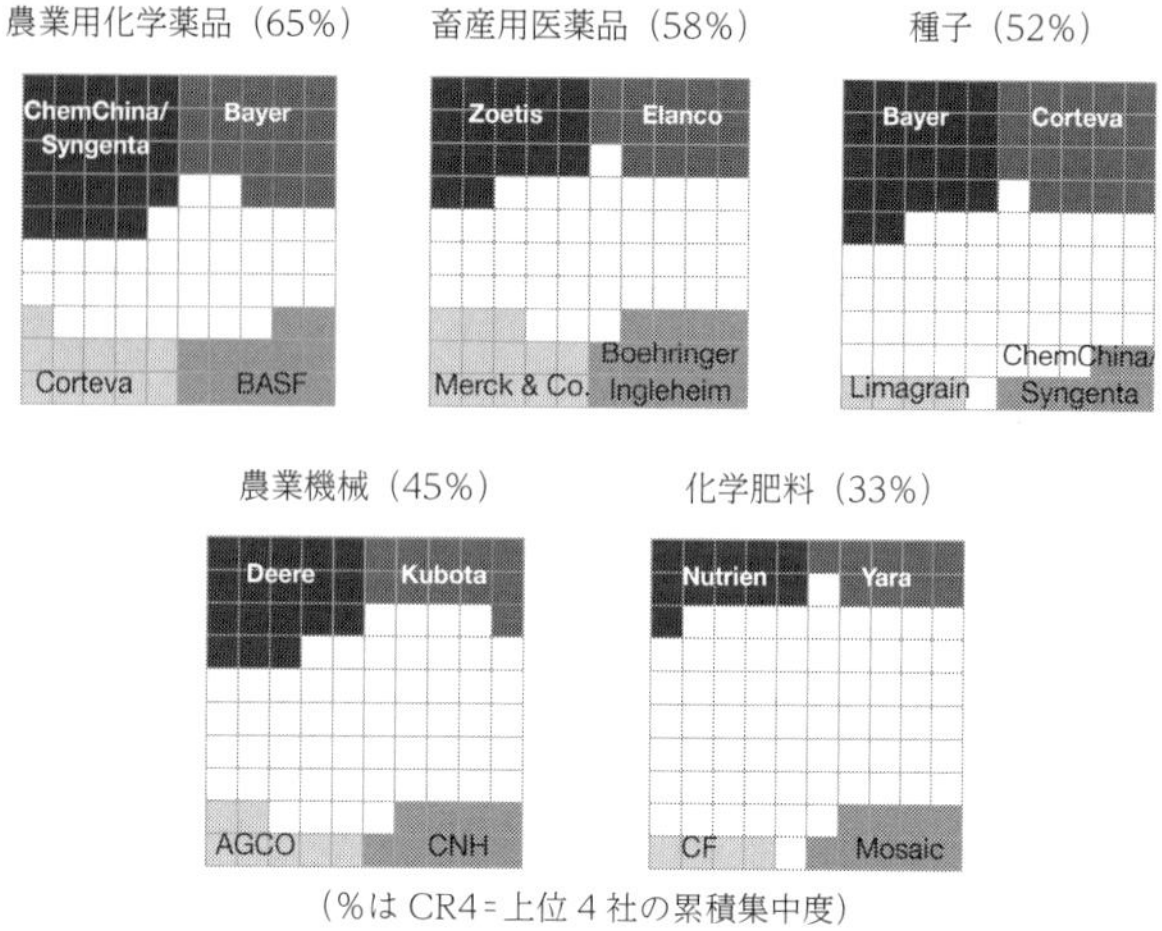

出典：Hendrickson et al. 2020★28

図11　農業・食料部門の世界市場における企業集中

在の農業は農薬や除草剤など化学薬品を多用しますが、その農業用化学薬品では、ChemChina、Bayer、BASF、Corteva という上位4社が市場の65％を占めています。現在の畜産業も家畜のためにいろんな薬を使っていますが、この畜産用医薬品では上位4社が58％、市販の種子市場では52％、農業機械では日系のクボタを含む上位4社が45％を占めています。繰り返しますが、世界市場の半分ほどを、たった4社が占めているということです。

他にも、米国の食料品市場で、シリアル市場では上位3社が83％、ソフトドリ

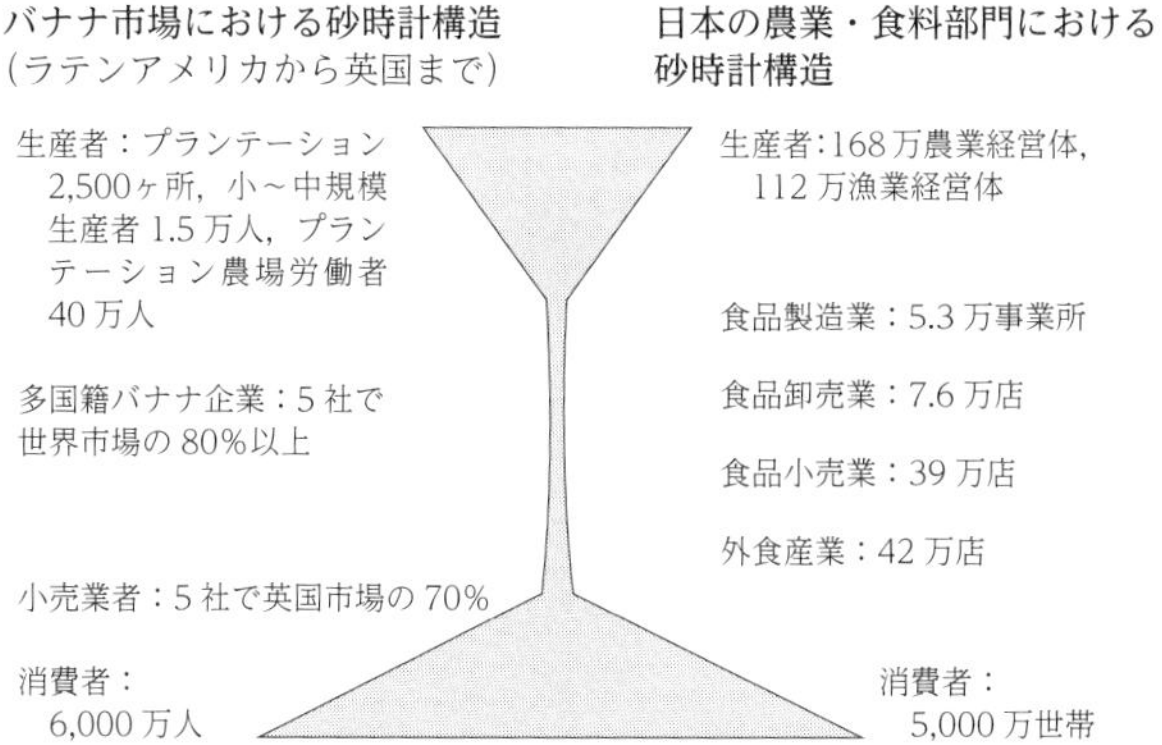

出典：左 Vorley, B.(2003). *Food, Inc.: corporate concentration from farm to consumer*. UK Food Group. 右 清水みゆき(編著)，髙橋正郎(監修)『食料経済　フードシステムからみた食料問題 第 5 版』オーム社，2016 年を参考に，筆者作図

図 12　フードシステムの砂時計モデル

ンク市場では日本でもお馴染みのコカコーラとペプシを含む上位4社が82%、ビール市場では77%、パン市場では58%と続きます。

　生産から消費までのフードシステムの途中に、このような大企業による寡占状態があるとどんな影響があるか。これは「砂時計構造」で説明されます。

　図12左は世界のバナナのフードシステムにおける砂時計構造を示しています。バナナの生産者も消費者も星の数ほど多数いますが、生産から消費までの途中、バナナを集めて倉庫で管理したり貿易したりする段

階には5社しかありません。つまりこの5社が、世界のバナナ貿易を牛耳っているのです。当然、この部分が利益を上げることも多く、例えばバナナ1本の価格のうち、プランテーション農場主が10%、そこで働く農場労働者は1・5%分しか得られないことを示しています。

似たような砂時計構造は日本の食品産業にもあるといわれています。図12の右が示しているように、農業や漁業における経営体の数は168万や112万とあるのに、中間の食品製造業には5・3万、食品卸売業には7・6万しか事業体がないとのこと。

こうした砂時計構造がある場合、細くくびれた首根っこ部分を握っている企業が、どんな商品を選ぶか(遺伝子組み換えか否かなど)、どれだけ市場に流通させるか、どう価格設定するかなどに大きな力を発揮するのです。

こんなリアル社会において、経済学が語る「需要と供給の法則」がまともに機能していると思いますか?

◐日本のアグリビジネスと食料自給率
～明治期から輸入原料を活用してきた商社と大手食品企業群による影響は

日本の食料自給率が37~38%と4割を切っていることはよく知られています。でもよく見ると、コメはまだ97%とかなり高水準を保っているのに対して、小麦は15%、大豆は6%、植物油の原料は2~3%と、穀物・油糧種子の自給率がとくに低いのです。そう、先に紹介した「穀物メジャー」が世界的に支配している作物です。

そして、日本でとくに自給率が低い小麦、大豆、ナタネ油、パーム油、砂糖などの穀物・油糧種子を一次加工する製粉・製油・製糖産業や、その小麦粉や食用油を多用する食品を作る食品製造業にも、大企業による寡占が多いのです。これは自然な現象でしょうか?

輸入原料を多用する食品製造業における企業集中

例えば、表2が示すように、日本の食品製造業で、上位3社が市場の9割以上を占めている食品に、発泡酒、インスタントコーヒー、シチュールウ、ウイスキー、カレールウなどがあります。続いて集中度が高い業種には、即席麺、食パン、食用植物油脂、精製糖などなど、小麦粉、食用油、砂糖を原料とする食品が並んでいます。つまり、日本でもとくに自給率が低い小麦、大豆、ナタネ油、パーム油、砂糖などの穀物・油糧種子を多用する加工食品の市

表2　集中度の高い食品製造業(2014年)

CR3区分	該当する業種
90%以上	発泡酒(98.0%)，インスタントコーヒー(97.5%)，シチュールウ(96.9%)，ウイスキー(93.9%)，カレールウ(91.7%)
80%台	チューインガム(84.2%)，マヨネーズ・ドレッシング類(82.4%)
70%台	即席麺(74.7%)，ソース類(74.2%)，食パン(74.0%)，小麦粉(72.1%)，スポーツドリンク(71.2%)
60%台	チーズ(67.6%)，茶飲料(66.0%)，焼酎(65.0%)，レギュラーコーヒー(64.3%)，精製糖(61.9%)，食用植物油脂(60.5%)

出典：「農業と経済」編集委員会監修(2017)『新版キーワードで読みとく現代農業と食料・環境』昭和堂，pp. 220-221より筆者作成

場で大企業による寡占化が進んでいるということ。

この表を作成した研究者たちによると、このように大手企業が市場の大部分を寡占している一方で、日本には、地域で小規模に食品を加工する個人や家族による零細事業者も多数存在する、二極化した産業構造になっているとのこと。この理由については、近代以降に生産技術が海外から輸入されたウイスキーなどや、日本で開発された新しい製造技術で作る即席麺類やマヨネーズ・ドレッシング類などの食品群は、大企業による寡占状態になりやすいと説明しています。どちらも日本では比較的新しい食品だから、伝統的な食文化の違いや独特の地域性を持つ原料に縛られないため、

原料を主に海外から大量に輸入し、大工場で均質な食品を大量生産・大量販売できるから、と。

それもあるかもしれません。でも私は、食と資本主義の歴史を調べながら、輸入原料を多用する大企業たちは、100年ほど前のその創業時から、日本の近代化と経済成長をリードしてきた政府や財閥（後に総合商社）による保護や支援の政策も関与していたと考えました。

明治期から、製粉分野では、小麦産地から生まれた民間製粉業もいくらかありましたが、主流には「官業」（政府）が率いる製粉業近代化の動きがありました。欧米からロール式製粉機を導入したり技術者を招聘したりして、また当時の北海道開拓使の事業とも絡めて、政府が後押ししながら日本で近代的な製粉産業が形成されました。製糖分野では、欧州と植民地・新大陸の関係ですでに世界商品となっていた砂糖を、開国後にまずはジャーディン・マジソン商会など香港に拠点を置く英国資本が日本市場に輸入してきた。やがて日本が台湾に支配を広げると、台湾の植民地支配と一緒になりながら、政府や財閥の後押しで製糖企業が誕生して、今日に至ります。

私が研究している製油業においては、今日の日清オイリオグループに繋がる日清製油の創業には大倉財閥が、J-オイルミルズに繋がる豊年製油の始まりには鈴木商店と南満洲鉄道がと、当時強力だった財閥や国策会社までが関与していました(詳しくは拙著『植物油の政治経済学』参照)。★29 この博士論文を書きながら、なぜ食べものを研究していた私が、帝国日本の植民地支配や軍部や財閥について調べなくてはならないのだろうと思ったものです。それほど、とくに製粉、製糖、製油など食材産業の誕生には、日本の近代化を推し進めようとしていた政府や、財閥など大資本、ときには軍部が大きく関与していたのでした。

こうして開国後に流入した小麦粉(メリケン粉)や洋糖に加えて、政府と財閥の後押しで成長した製粉業や製糖業が供給した小麦粉や砂糖を使って、軍用ビスケットや練乳やキャラメルを含む、製パン業や製菓業など近代的な食品製造業も生まれ成長していったわけです。実際、現在まで続く大企業が、1906年(明治製糖)、1910年(森永商店)に、味の素(創業時は鈴木製薬所)が1907年に、日清オイリオグループに繋がる日清豆粕製造が1907年に始まりました。

やがて第一次世界大戦後の不況期には、製粉、製糖、製油など食材産業において、財閥も絡んだ独占的体制が確立・強化されていきました。製粉業では日清製粉、日本製粉の2社が

表3　1937年ころの主要製粉・製糖会社の位置

製　粉 日産能力計(バーレル), その全体比率 系　統	日清製粉 26,500 約38% 三　菱	日本製粉 20,800 約30% 三　井	日東製粉 5,000 約7% 三　菱
製　糖 産糖高比率 系　統	台湾製糖 27.8% 三　井	明治製糖 20.2% 三　菱	大日本製糖 26.4% 藤　山

注：製粉の生産能力比率は，各社の日産能力数を外地工場を含む合計69,300バーレルで除して算出した．
出典：高橋亀吉・青山二郎(1938)『日本財閥論』(日本コンツェルン全書 第1)春秋社，pp. 250-253より筆者作成

8割程度の生産を占めて独占的利潤を得ており、製糖業では植民地台湾にも絡んで大日本・台湾・明治の上位3社が独占していたという。この中で三井物産・三菱商事という財閥系商社が、とくにこれら食品工業の原料的部門において、輸入や植民地からの移入を中心とする原料供給・製品販売のみならず、大株主・債権者としても地位を確立し、食品工業経済の支配を強化していたらしい[★30]。その支配的な位置づけは、財閥研究の文献にも示されていたとおりです(表3)。

現在の総合商社と大手食品企業群

帝国日本から現在まで時代を早送りすると、第二次世界大戦後の貿易が統制されていた時代に、日本の商社は食料の輸入も含む可能な限りの商品取引を手がけて「総合商

社」になったと考えられています。戦後日本では、総合商社も参加しながら、主に米国から輸入した小麦や大豆など穀物・油糧種子を活用して、大手食品企業がさまざまな加工食品を新発売し、それをスーパーやコンビニなど新たに形成された流通システムが大量供給し始めました。ファストフードやファミリーレストランをはじめとする外食サービス業も多くは輸入原料を活用していたし、畜産業もエサとして輸入原料を活用して成長していったのです。

そして現在でも、製粉業では、ニップン(もと日本製粉)に伊藤忠商事、三井物産が投資していたり、業界1位の日清製粉グループの大株主に丸紅がいたり。製糖業界では、DM三井製糖HDに三井物産と三菱商事が、日新製糖には住友商事が投資していたり。製油業界では、日清オイリオグループに丸紅が、J-オイルミルズには三井物産が投資していたりなど、業界地図[★31]を見ただけでも、総合商社も関与している大手食品企業が引き続き活躍している様子がうかがえます。総合商社側から見ても、三菱商事の主なグループ会社に、食品卸の三菱食品、コンスターチの日本食品化工、水産の東洋冷蔵、伊藤ハム米久HD、さらにローソン、ライフコーポレーション、日本KFCなど、食料システムの川下にあたるコンビニ・スーパーや外食産業まで含まれています。同じく三井物産には、食品卸の三井食品、三井農林、D

M三井製糖HDが。伊藤忠商事には、食品卸の伊藤忠食品と日本アクセス、アジア青果事業のドール・インターナショナル、プリマハム、不二製油グループ、加えてコンビニのファミリーマートなどの名前が見られます。

ざっくりまとめると、明治期には政府による保護育成、戦時中には中国・満洲・朝鮮・台湾を含めた食料調達体制があった。第二次世界大戦後には港湾部に築かれた食品コンビナートでの大量輸入体制や、輸入原料を多用する食料・畜産・外食のインテグレーションの形成とそこへの総合商社の参画があった。そして1980年代からは前川レポートなど政策の転換やグローバリゼーション時代における食料の開発輸入や食品企業の海外進出などがあった。このようにさまざまな動きを織り込みつつ、大きな流れとしては政府と財閥・総合商社も介入しながら、大手食品企業群が主に輸入食料を活用して日本の近代的食料システムの根幹を築いてきたと考えています。

こうしてみると、日本の食料自給率が低い要因には、日本の大企業が輸入原料を多用する食料システムを牽引していたことが影響していると思いませんか？　なのになぜ、食料自給率の話には、生産者と消費者のことばかりが議論されるのでしょう？

◗巨大企業が求めた、原料の大量調達と商品の大量販売

全体の話をまとめると、食品産業が資本主義経済に組み込まれ機械も使った大工業になると、利潤追求と競争のためにも、商品を大量生産し、それを大量に販売し始めます。そのとき、農業生産側と食べる側の消費者にどのような影響を与えるでしょう。

序章で紹介した、企業の売り続けるための努力を思い出してください。

工場が大きくなるとそれをフルに稼働するため、均質的な原料を大量に求めるようになります。財閥を含む大資本が高額の設備投資をした日本の製油業は、搾油原料としての大豆を、戦前は満洲や朝鮮に、戦後は米国に、１９７０年代からはブラジルに求めました。米国やブラジルなど大豆の生産地では、大豆を大量に輸出するために、化学肥料、農薬、機械、燃料など石油を多用する農業へと、農業の工業化・大規模化が促されました。

また、大量生産した商品を販売し続けるため、企業は新商品の市場開拓を積極的に行いました。よく「食の洋風化」と表現される小麦や油や畜産物などの消費を、企業によるマーケティングだけでなく、日米の両政府も参画して、じつは企業と政府とが推進したのです。

つまり、かなり単純化してまとめると、日本の近代的な食料システムは、明治期から、近代化を急ぐ政府が新旧財閥を保護しながら大企業を中心に発展し、帝国日本が支配していたアジア地域を含む海外から調達した原料を多用しながら、築き上げたのだと。その多くが、第二次世界大戦後には総合商社と大手食品企業として存続し、戦後には主に米国産の穀物・油糧種子を輸入しながら再強化され、輸入原料に依存した加工食品・畜産・外食のインテグレーションを形成したのだと。その政治経済史から見ると、これら日本のアグリフードビジネスの動向や戦略が、戦後日本の食料自給率の低下に影響していなかったとは考えられないのです。

大きいことは良いことか？

これほど、農業・食料システムにおいて限られた数社の巨大企業が力を持つということは、単に「需要と供給の法則」を超えた影響力を持つだけではないと思います。これらの企業群が世界の食と農の市場をどのような形にするかを決め、今後どのような技術をイノベーションとして推し進めるかの方向性も定めて、食や農に関わる政策にも影響を及ぼし、私たちの食生活に大きな影響力を与えることでしょう。

だからといって、一部の企業やビジネスだけが強欲なのが問題だというつもりはありません。資本は集中する傾向があるといわれます。その要因など議論し始めるとキリがありませんが、ただ実際、一部の巨大企業群が大きな影響力を持っていることは確かでしょう。

問題は、こんな現代社会でも、いまだに経済学の教科書には完全競争市場の需要と供給の法則が説かれているし、ニュースでも需要や供給で説明されることが多いこと。そのギャップに気をつけて欲しいと思います。市場のメカニズムがきれいに機能するためには、多数の売り手と多数の買い手がみんな平等に売買していて、誰も価格や量を操作できない、みんなが市場が定めた価格を受け入れるという、大きく現実離れした前提条件が必要なのだということを認識しておくと、経済学者たちにだまされることなく、問題をクリアに見ることができるようになるはずですから。

4章

現代社会の「金融化」
～「潤滑油」というよりギャンブラー

ウクライナで戦争が始まり世界的に「食料危機」が叫ばれていた2022年の夏、日本では急激な円安が加わり、食料や燃料の「値上げラッシュ」が続きました。

円安とは、例えば1ドル＝100円だったのが1ドル＝200円になること。つまりドルに対する日本円の価値が低く(弱く)なるので、同じ1ドルのリンゴを買うために2倍の日本円が必要になることです。どちらが「安く」「高く」なったか考えると混乱するため、私は円安／円高より、英語的に円が弱くなった(weak yen)、強くなった(strong yen)と考える方がわかりやすいと思います。

円が弱くなれば、同じモノを同じ量輸入するためにはより多くの円が必要になる、だから輸入したモノを国内で販売する値段が上がる。そのため、穀物や油糧種子などの食料や、石油などのエネルギーの多くを輸入している日本のような国では、その通貨(日本円)が弱くなると、食料品や電気・ガス・ガソリンなどが値上がりして、企業も家計も直撃して、これらに基づく経済全体が影響を受けるというわけです。

この年の急激な円安に関して、政治家たちから「投機」によって相場が過度に変動するのは断じて容認できない、「投機筋」が為替を大きく変動して、国民生活、世界経済に悪影響を及ぼすのは容認できない[★32]、だから我々は投機筋と対峙するのだ的な発言がありました。

「投機」や「投機筋」とは何かというと、相場の値動きや交換比率の変動から、主に短期的に、主に利益を目的に取引に加わる「投資家」と説明されています。投資と投機と、日本語では一文字しか違わなくて、どちらもお金を出して願わくば出したより多いお金を得ようとすることですが、その意味合いはけっこう違います。英語では、投資(investment)に対して、投機とは「スペキュレーション(speculation)」と別の言葉で、ずっと大きなリスクも冒しながらずっと大きな利益を短期にねらってお金儲けしようとすること。そのため「投機筋」も、「professional speculator(プロのスペキュレーター)」という訳語の方がその実態がわかりやすいかもです。

このように、短期的な儲け目的の投機筋がどう動くかで、日本円という(まだ)経済的に大きな一国の通貨の価値に影響できることを政治家も知っているということでしょう。もちろん、相場がどう動くかなんて、誰もが知りたくて、でも誰にもわからなくて、いろんな学者やAIがあれこれ分析している課題なので、今回の円安を動かした要因についても断定はできません。ただ、ドルや円などを取引する外国為替市場も、小麦や大豆を取引する商品市場も、株式や債券などを取引する証券市場も、すべての取引が、教科書通りなら需要と供給の法則によって価格を決める装置だったはずのものが、今では「投機筋」によるマネーゲームの場にされているといえるのではないでしょうか。

今では、食料も、食料を生産するための農地も、「ポートフォリオ」と呼ばれる金融資産の配置表で金や株式や金融商品と同じように「資産クラス」として扱われるそうです。食と農だけでなく、いろんなモノや活動や考え方が「金融」中心になってきている。この「金融化」現象をスルーしては、現代社会のカラクリは正しくは理解できないでしょう。それほど、世界の政治経済から私たちの日常生活までに大きな影響を与えている現象だと思います。

◐「金融」「金融化」とは★33

高校の経済の教科書には「金融のしくみと機能」という単元があったり、政府(金融庁)が中学生や高校生向けにガイドブックを用意したりして、最近では、若いうちから株式・債券や投資信託、生命保険や損害保険など、金融について学び「金融リテラシー」を高めることをお勧めしています。また、大人にもiDeCoやNISAを推奨して、みんな投資を手がけて老後の備えを蓄えてねとお勧めしているような政策も見られます★34。

金融とはお金の話だけでなく、「お金」についての研究も貨幣論など奥が深いものですが、ひとまずこの章では、何でもかんでも「金融」中心になっているような、現代社会の「金融化」について紹介します。

では、「金融」とは？　教科書的には、資金に余裕がある経済主体と、資金が不足している経済主体との間で、資金を融通し合うことと説明されています。ざっくりいうと、お金が余っているところ(人や組織ほか)から、お金を必要としているところへ、お金を動かすことによって有効活用して、経済活動を活発にするための仕組み、という感じです。だから金融は「経済の潤滑油」といわれることもあります。余っているところから必要としているところへ流して、経済をより滑らかに活発に動かすための潤滑油ということで。

この「経済の潤滑油」を流して経済を滑らかに動かすために、銀行が預金を集めて必要な人や企業に融資したり、新しい事業を始めようとする企業が株式を発行して資金を集めたり、国や企業が国債や社債を発行して幅広くお金を借りたり、その株式や債権関係の手伝いや取引を証券会社が担ったり。このような金融機関や金融の仕組みを通じて、私たちの家計で眠っているお金を、意欲やアイデアを持つ人や企業に融通して、もしくは企業の株式を買って応援して、経済を発展させ、みんながより豊かになる。このように経済の発展に必要な仕組みが「金融」だと説明されています。

ところが、すでに必要なモノを製造して販売するだけでは儲けにくい現代社会では、本業がなんであれ「財テク」など金融で資産を「運用」する方が手っ取り早く稼げることが多い。「運用」とは、何かの機能をうまく働かせて用いるという意味ですが、金融関係では「お金」で「お金」を増やすことの意味で使われているようです。その取引も昔ながらの株式や証券だけでなく、より大きく儲けられるように(マネーゲームをより面白くするために?)、凝った金融商品が開発されたり、その取引もいろんな人がスマホから手軽に参加できるようになったりしている。このように、モノを作るより金融的な取引での儲けを目指すとか、銀行や証券会社だけでなく個人も金融活動に励むとか、それを「良し」とする考えが広まっているとか。本来、経済活動に必要とされていた教科書的な「金融」の機能よりも、はるかに広い領域の、はるかに大きな規模で、金融の動きや金融マインドが私たちの生活や考えを含むあらゆる領域に侵食して拡大しているのです。さらに、今どきの金融は激しく動きすぎて、「経済の潤滑油」どころか、あちこちの火に油を注いでは燃えあがらせ、バブルを膨らませては弾けさせて、そこで大きく動いた値動きで儲けようとする、一儲けしたらさっと次に移る、短期的な儲け目的の投機マネーによるギャンブルのようになっている。これが現代社会の「金融化」現象と議論されています。

よく見ると、高校生向けの経済の参考書にも「経済の金融化」が説明されていました★35。曰く、「商品を生産し、販売するという従来型の経済が、お金を取り引きする金融経済によって大きな影響を受けるようになること」。従来の「実物経済／実体経済」とは、財やサービスの生産や販売に関する経済活動のこと、もしくは、モノとお金とを交換する売買取引のこと。そして「金融経済」とは、お金を株式や債券などに投資することでお金を儲ける活動のこと。さらに説明が続きます。「金融の元々の役割は、財やサービスの生産、販売、消費を助け、支えることであった。しかし、近年では世界に出回るお金の量は、世界の国内総生産(GDP)の3倍以上となっており、自己資金を短期間で増やす目的でも世界中を動き回っている。このため、実物経済(実体経済)は大きな影響を受ける」と。

つまり、従来の、労働者が汗水流してモノを生産して販売したり、サービスを提供したりする「実物経済/実体経済」ではあまり大きく儲けられなくなったため、短期間にお金でお金を儲ける「金融経済」が広まっている。「金融化」とは「金融的動機、金融市場、金融的主体、金融機関が、国内及び国際的な経済活動において果たす役割が増していくこと」であり、現代社会は「すべてが金融化されている(financialization of everything)」状態というわけです。★36

お金や銀行は昔からありました。銀行や資産家が力を持つ「金融化」現象も昔から議論されていました(例えば、ヒルファディングやレーニンによる金融資本論など)。でも1980年代からのグローバリゼーションや規制緩和、新自由主義的な政策の広がり、そしてAIを含む情報技術の革新などによって、以前とは比べられないほどの規模とレベルによって「金融化」現象が進み、現代社会が大きく変えられています。

　このような大きな「金融化」の流れに食と農も巻き込まれ、今や小麦など食料の価格もそれを生産する農地も、投機筋が群がるマネーゲームの「金融商品」になってしまったのです。

食べものも農地も金融商品に

　2007年から2008年にかけて、リーマンショックと呼ばれる世界金融危機の前後に、じつは小麦やトウモロコシなど食料の価格が高騰した世界的な食料価格危機がありました。日本ではあまり騒がれなかったのですが、貧しい国々、とくにアフリカや中南米の「途上国」では食料の価格が高騰し各地で暴動が起こりました。これが、チュニジアから始まった「アラブの春」と呼ばれる大規模な反政府デモ活動や政治的な激動の要因になったとも考えられています。

　この食料価格危機をきっかけに、世界の穀物価格を定めるシカゴ相場が、じつは農業や食品産業に関係ない「投機マネー」で9割方動かされていることが指摘されました。さらに、

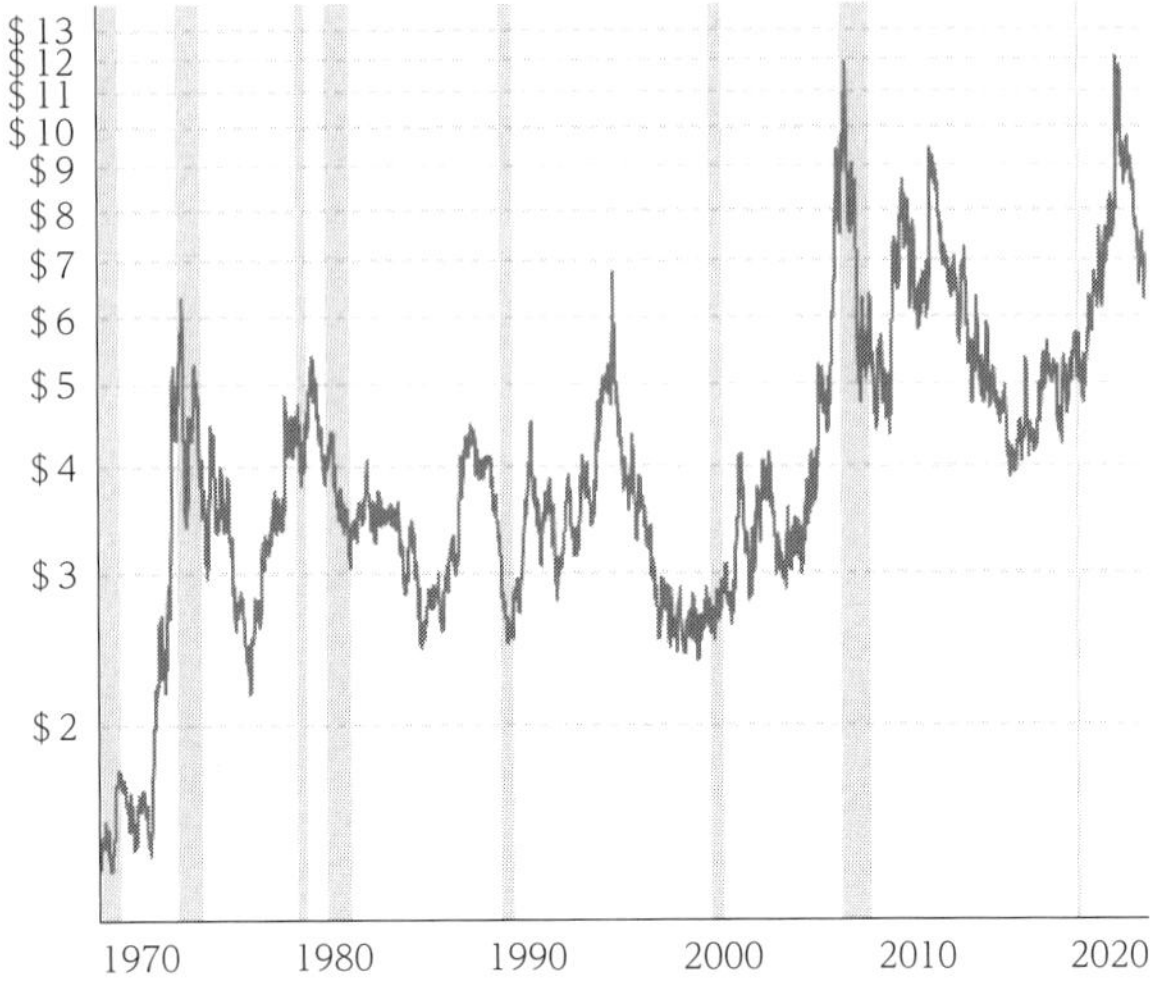

出典：https://www.macrotrends.net/2534/wheat-prices-historical-chart-data

図 13　小麦価格の歴史的な変動(1970 年〜現在)

主に先進国の国庫金を含むグローバル金融が、主に途上国の農地を大規模に買い占めるという「農地収奪(ランドラッシュ、ランドグラビング)」も広がり、「食と農の金融化」問題が注目されたのでした。

このとき、「シカゴ相場」と呼ばれ世界的な穀物価格に影響を与える商品取引所において、小麦、トウモロコシ、大豆など穀物の価格が高騰した理由としては、世界人口が増加している／さらに増加する(だから食料が足りなくなる)から、経済成長した新興国で肉や乳製品、油脂などの消費が増えるから、または砂糖やトウモロコシからエタノール燃料を、大豆などの油からディーゼル燃料を作るバイオ燃料が推進されるから、だから穀物・油糧種子などへの需要が増えるからといわれました（需要が増えると価格が上がる）。または、穀物の主な生産地で干ばつや台風の激化などの自然災害が増えていたり、石油価格が高騰したりという供給側の理由も指摘されました（供給が減ると価格が上がる、生産コストが増えると価格が上がる）。つまり、教科書的な「需要と供給の法則」で食料の価格の急騰が説明されたのです。

でも、より人為的で構造的な要因として指摘されたのが、1980年代からの規制緩和による商品（コモディティ）取引への投機マネーの流入でした。とくに穀物の「先物取引」や「商品価格指数」の取引、その他にも穀物の価格変動に紐付けられた「金融派生商品（デリバティブ）」などが、投機目的の金融商品になっていたのです。

先物取引とは、例えば数ヵ月先など将来（先）の決められた日に、ある商品（物）について、取引の時点で決めておいた価格で売り買いすることを約束するというものです。これは、種をまいてから収穫まで数ヵ月かかる農家が将来の販売価格を固めておきたいため、もしくは、パン屋や食品企業が原材料の購入費用をできるだけ一定に抑えたいためなど、天候や自然環境などによって変動しやすい農産物の価格に対する、将来の価格変動の影響を避けるための手段(リスクヘッジ)だと説明されます。

穀物の先物取引自体は古くからありました。江戸時代に大坂の中之島周辺で始まった堂島米市場が、先物取引の先駆けとして世界的に知られています。「シカゴ相場」を決めるシカゴ商品取引所も、米国ミシガン湖の南で小麦やトウモロコシの集散地点として発展していたシカゴで1848年に設立されました。そのころからすでに「投機筋」も穀物の取引に加わっていました。食や農に関係ない投機目的でも、その参加によって取引量が増えて市場での売り買いの機会が増える(流動性を増す)というプラスの効果も認められています。ただ、過剰な投機は価格を急に上げたり下げたり動かして市場を不安定にし、それに振り回される経済社会に大きなマイナス影響を与えるからと、世界恐慌もあった1920年代から30年代に規制が設けられて、その活動が制限されていたのです。マネーゲームからリアルの経済を守るために。

こうして食や農に関係ない取引を制限していた規制が、しかし、1980年代から規制緩和されていきました。同じころ、電子・情報技術が発展し、情報工学を利用した複雑な「金融派生商品(デリバティブ)」も開発されました。そのため、先物取引だけでなく、フォワード、オプション、スワップなどの金融商品が開発されたり、「レバレッジ」という少ない金額の元手で数倍も大きな金額の取引を行うこともできるようになったりしました。世界的にお金的な資産が増えたり(後述)、金利をずっと低く抑えた政策も追い風でした。そこに投資銀行、ヘッジファンド、プライベート・エクイティ・ファンド、投資信託、年金基金、保険会社、ソブリン・ウエルス・ファンド(政府系ファンド)などなど、食や農に関係ない「投機筋」がお金儲けのチャンス！とばかりに食料の価格を決める取引に群がったのです。

投機目的で取引する人たちにとっては、その金融商品が紐付けられている小麦が、実際にはどこで栽培されて誰の口に入るか入らないかなどは、興味のないことです。その名も「The Food Speculator(食料投機筋)」というドキュメンタリー映画の中で、小麦の先物取引をしていた投機家が、実際にその小麦がどこで栽培されているか知っているかと尋ねられて、キョトンとしていた姿が印象的でした。投機目的のためには、穀物の価格は上がっても下がっても構いません。ただ、相場が動かなければ、価格の上げ下げを利用した運用(「サヤ取り」、裁定取引）であまり儲けられなくなります。また、投機筋が大半を占める市場取引は、小さなきっかけやニュースでも大きく価格が上下して、不安定さ（volatility）が増すといわれています。もともと先物取引は、食料の販売や購入の価格を安定させるための仕組みだったにもかかわらず。

加えて、この食料価格危機の後に、世界の農地も「金融資産」として投資や投機が群がることになりました。

一つには、食料の価格がまた高騰したら輸入できなくなるかもしれないという不安から、自国民に食料を確保するための「食料安全保障」として、豊かな「北」（先進国）の国々が、国のお金（国庫金）も使って、主に「南」（途上国）の農地を大規模に取得する動きがありました。同時に、農地は将来、値上がりするだろう、インフレに対しても目減りしない資産だろうと、単に資産をリスク分散するため（ポートフォリオの多様化）にちょうど良いからと、農地を金融資産として取得する動きもありました。

多くは「南」の、現地では人々が生活し、その地から食や生活に必要な糧を得ている小農がいる土地も「未開拓地」とみなし、かなり暴力的に人権侵害的に、広大な土地を略奪する動きが広がったことに対して、国際ＮＧＯであるGRAINが警告を発しました。この２００８年に発表した報告書から[37]、「農地収奪(land grabbing)」の問題に注目が集まったのです。

２０００年から２０２０年までに世界で３３００万ヘクタール(33万平方キロメートル)の農地がグローバル金融によって買収されたとの報告もあります(大規模農地取得のデータを世界的に追跡しているlandmatrix.orgより)。この調査では、南米、アフリカ、アジア、一部の東欧など、いわゆる「途上国」しか対象に含まれていませんが、今やオーストラリア、ニュージーランド、米国やカナダなど「先進国」と呼ばれる地域でも投機目的の農地買収が進んでいるとのこと。そもそも、世界の農地取得情報には不透明な部分も残り確実なデータは誰も持っていない状態ですが、いずれにしても、農地の大規模取得はまだまだ続いている気配があります[38]。

これら大規模に取得された農地は、生物多様性ホットスポットなど環境的に貴重な地域や、地域の小規模な農家が生活の糧として利用していた地域も含みます。そのような土地を買い占めておきながら、でも、その7割近い農地は農業生産に使われないままだともいわれています。また、農地を買ったお金が地元の地域や国に入るかと思えば、農地売買の取引の多くがタックスヘイブンを利用したりして、土地を売ったことによる税金が還元されているわけでもないそうです。

国民の食料のために農地を確保するためだけでなく、途上国の農地だけでなく、個人や企業の間でも、先進国や自国内でも、農地への人気が高まっている様子もうかがわれます。例えば、現在(2023年ころ)、米国で最大の農地所有者は、マイクロソフト創業者の1人である実業家・大金持ちの、ビル・ゲイツとのこと。米国18州にまたがる24万エーカー(980平方キロメートル)という、東京23区をラクに超える広さの農場を所有して、でもゲイツ氏が農業を始める……わけではなさそうです。ちなみに、次いで米国の農地を所有しているのは、CNN創業者のメディア業界人、テッド・ターナーとのこと。その他、大金持ちだけれど農業とは関係なさそうな人や家族の名前が米国農地の大地主として名を連ねています。

もともと土地に投資するというと、街中の住宅地や工場にできそうな土地への投資ではなかったでしょうか？　農村や農地などは、投資家にとって儲けられるという魅力はなかったはず。ただ、製造業やサービス業などへの投資による「普通の経済成長」が見込まれないときや、物価が上がりすぎたり金利が低すぎたりなど、先行きが見えないとき、人々の関心が食や農に集まる傾向はあるそうです。2007~2008年の食料価格危機の後にも、「何があっても人々は食べていかなくてはならないのだから(だから農業や食料は有望な投資先だ!)」などの見出しで、食や農への投資(投機)が売り出されたとか。つまり、現代社会はそういう時代なのかもしれません。

ただ、そういうときに理由として繰り返されるのは、人口増加するから、新興国で食生活が変化したから、気候危機による農業生産の不安やバイオ燃料の推進があるからなど、「需要が増えるから(価格が上がる)」という似たようなストーリーです。2020年以降の、新型コロナウイルスによるパンデミックや、戦争や紛争の危機、気候危機によって「食料危機」が騒がれている現在、これから農業や食料分野が「儲けるチャンス!」と思わせる、似たようなストーリーが繰り返されているのではないでしょうか。実際の需要や供給だけでなく、みんなが「将来値上がりする!」と思えば、相場は動くのです。

こうして、私たちの食料もそれを育てる農地も、抽象化された単なる金融商品として、ただその値動きで稼ぐためのマネーゲームの駒として取引されるようになったのでした。

❍すべての取引がマネーゲームに

食料を取り引きする「商品取引市場」だけでなく、2022年に「値上げラッシュ」を激化した円安にも「投機筋」の関与が指摘されたように、外国為替取引市場もマネーゲーム化していると考えられます。もっといえば、証券取引市場も、その他すべての取引市場が、投機の対象としてマネーゲームと化しているのではないでしょうか。

外国為替取引は、私たちが旅行や留学で外国に行くとき、例えば米国に行くときは空港などの両替コーナーで円を売って米ドルを買う。より大きな金額としては、企業が貿易するとき、日本から米国に商品を輸出して、米ドルで支払われた代金を日本円に替えて日本の労働者に賃金を払ったりする。このドルや円に対する「需要と供給の法則」により為替レートが動くと、教科書的には説明されます。ところが実際の取引は、このような経済活動の裏づけがある「実需取引」より、単なるお金儲けが主目的の「投機取引」が多く、じつは投機目的の取引が全体の9割を占めているそうです。値動きで儲けるというのは、簡単に言うと、1ドル＝100円のときに100ドルを1万円で買って、1ドル＝200円になったときにそ

出典：Transnational Institute “Financialisation: a primer” 2018年改訂版より★33

図14　外国為替取引額(左)と実際の財・サービス貿易額(右)の違い

れを売れば2万円になって「儲かった！」ことになるということ(実際には手数料などの費用が引かれますが)。

図14のようなデータもあります。これは経済の「金融化」現象とその影響についていち早く注意を促した国際ＮＧＯ「Transnational Institute(TNI)」がこの問題をわかりやすく紹介しているものです。

右の札束は、財とサービスの貿易金額(ＷＴＯ加盟国による２０１２年の１日平均)５８９億ドルを示し、左の札束は、外国為替市場での取引額(２０１３年４月の１日平均)５・３兆ドルを示しています。つまり、実需取引１に対してその90倍近い規模の外国為替市場が、貿易や旅行のために通貨を替えるという本来の目的を一部含みつつ、その大部分は「投機筋」による、儲け目的のマネーゲームが主になっていることがわかります。

このように、お金でお金儲けすることを目指す、投機筋によるマネーゲームが動かした値動きであっても、この取引市場が決めた価格が、実際の食料や輸入品の価格となってリアルの経済に影響を与え、私たちの生活に打撃を与えてしまうのです。

なぜ、これほど金融中心の世界になったのか（背景）

なぜこれほど「金融」が拡大して取引がマネーゲーム化してしまったのでしょう。

一つには、１９７０年代初めに大きなショックがあって、お金や経済の方向性が変えられたことがあります。それまで安い石油で大量生産したものを大量に販売して絶好調の経済成長をしていたのに、オイルショックで燃料も素材も値上がりして、モノを生産・販売する実物経済／実体経済の成長が頭打ちになったこと。加えて、ドルショックによって、金（貴金属のゴールド）の在庫量の制限から解放されてお金を増やすことができるようになり、世界にお金が増えすぎて、そのお金がお金を増やす「金融経済」が膨れ上がったことがいえます。

より詳しく説明すると、次の通りです（もっと詳しくは前著『食べものから学ぶ世界史』

も参照ください)。

まず、第二次世界大戦後、少なくとも米国をはじめとする西側の「先進国」では、「大きな政府」による保護や規制のもとで「資本主義の黄金時代」ともいわれる、史上最高レベルで経済成長した時代がありました。石油が比較的安く抑えられていたので(欧米政府や多国籍企業「石油メジャー」による不条理な政治経済の成果でもありましたが)、安いエネルギーと安い素材で大量生産＋大量消費してGDPを増やすことができたのです。

ところが、1973年には「オイルショック(石油危機)」が起こり、原油の減産や値上げによって石油価格が急騰しました。そのため、経済成長が頭打ちになります。

加えて同じころ、金と米ドルの交換を停止して、固定相場制から変動相場制へと移行した「ドルショック」もありました。後の経済の「金融化」には、これが大きな影響を与えています。

ドルショックとは、ざっくりいえば、第二次世界大戦後の世界では、金で価値を裏打ちされた米ドルが世界の基軸通貨として扱われていたのに、その金と米ドルの交換を当時のニクソン大統領が「もう無理！　止める！」と宣言したのです。これが世界経済に大きなショックを与え、その後の「お金」の仕組みを大きく変えてしまいました。

一つには、それまで米ドルを通じてでもいちおう金の在庫量に制限されていた金融資産（簡単に「お金的な資産」としておきます）を、もう金のしばりを気にしないでずっとラクに増やせるようになったといわれています。この地球上に存在する金の量は限られていますから、金に交換できる紙幣の発行には限度があります。また、それまで1ドル＝360円と固定されていた為替レートが、その時々で変わる変動為替相場制に移りました。こうして、金の在庫量に制限されず、各国の政府と中央銀行の管理と決定によって、比較的自由に「お金」を増やせるようになりました。

もう一つ、見落とされがちでも非常に重要なポイントに、一般の民間銀行がお金を貸し出すときにお金が作られる「信用創造」の仕組みがあります。高校の教科書でも説明はされているのですが、いまだに一般常識としては「お金」は中央銀行のみが発行するものとの思い込みが強いように感じます。

「信用創造」とは、金融機関が貸出を通じて預金通貨を作ることとか、銀行が預かっている預金額以上の資金を貸し出すことなどと、説明されています。ざくっと説明するとこういうことです。確かに、紙幣の「銀行券」は中央銀行である日本銀行だけ、補助的なコインの「硬貨」は政府(財務省)だけしか発行できません。ただ、いわゆる「お金」には銀行などに預けている「預金」も含まれます。みなさんも全財産を紙幣とコインだけで持ってはいないでしょう。みなさんの銀行口座にある預金もみなさんの「お金」ですよね。

この銀行の預金を使ったカラクリで、ふつうの銀行が貸し出しをすることで、世の中の「お金」の量を増やすことができるのです。例えば、私が銀行に10万円を預けると、銀行はそのうち1割(1万円)を残しておけば残りの9万円は他の人に貸し出すことができる。そうすると、私の預金通帳には10万円を記帳したまま、銀行からお金を借りた人の通帳に9万円が追加され、世の中の「お金」は計19万円に増えるというカラクリです。これを繰り返すことによって、中央銀行でもない一般の民間銀行が、預金の何倍もの金額を貸し出して、世の中の通貨量を何倍にも増やすことができるというわけです。

このような、金の在庫量に制限されない「お金」の増刷、為替制度の自由化、銀行による「信用創造」、その他の金融制度の変更や規制緩和によって、世界の「お金的な資産」が急増

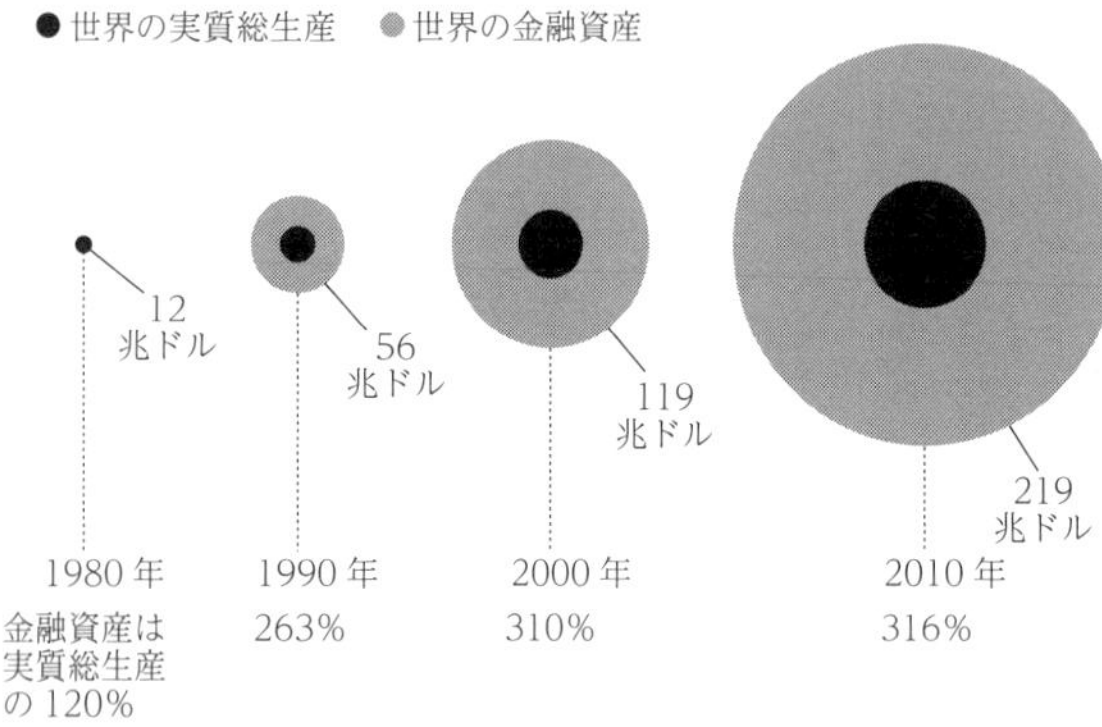

出典：Transnational Institute “Financialisation: a primer” 2018 年改訂版より★33

図 15　膨れ上がる世界の金融資産

したのでした。

どれぐらい増加したかは、ＴＮＩからの図15を見ると一目瞭然です。つまり、１９８０年代までは、労働者が汗水流して生み出したといえる実体経済の規模（実質ＧＤＰ）と、金融資産の規模とは、ほぼ同じくらいの大きさでした。それが現在（２０１０年）では、金融資産が実体経済の３００％を超えるまでに膨れ上がっています。この増えた金融資産はじっとしていません。年金でも証券会社でも銀行でも、預かったお金は増やさないといけないため、機関投資家というプロの投資家（投機家）たちがひたすら「運用」を続けることになります。こうして、膨れ上がった金融資産が、タックスヘイブンを行ったり来たりしながら、さらに資産を増やすために「運用」され、あちこちでバブルを膨らませては弾けさせながら、とにかく増加を目指して世界中を駆け巡っているのです。

1997年には、タイの通貨暴落から始まったアジア通貨危機がありました。また、2000年代初期にかけては「ドット・コム・バブル」と呼ばれるインターネット関連企業の株価高騰があったり、米国の住宅や不動産もバブルで膨れ上がって後のサブプライムローンからリーマンショックに繋がったりと、膨れ上がった金融資産が、とにかく資産を増やすために、あちこちの取引に「投機」をかけて、バブルを膨らませたり弾けさせたりしている。そのため、あらゆる取引が不安定(volatile)になり、その度に、その相場が定めた食料の価格や為替レートなどが、実体経済の私たちの生活に大きな影響を与えているというわけです。

現在の「資本家」とは誰のこと？

金融が社会のあらゆる分野に広く深く影響を与え、「金融権力(political power of finance)」といわれるほどの力を持つようになりました。ところで、この「金融権力」とは、具体的に、どこの誰のことでしょう？

一昔前は、労働者に対する「資本家」を議論する経済学者がいました。資本家とは、お金や土地や工場などの資本を持ち、その資本で労働者を雇って事業を行い、その利潤を得てさらなる利潤拡大のため労働者を「搾取」する存在だと。ときには、搾り取られる労働者に対して、資本家が非難の的にされました。

では、現代社会において力を持つ「資本家」とは、誰のことでしょう？

先に結論をチラ見せすると、現代社会では、資産を持っている人／組織と、それを運用する人／組織と、それの管理をする人／組織と、役割が細分化されています。しかもそこにお金を出しているのは金持ちだけではなく、私たちの貯金や年金やiDeCoやNISAなどを通じた庶民までを含み、もう誰が「資本家」かわからない、誰が世の中のお金の流れを決めているのかわからない状態だと思います。

金融の問題をわかりやすくまとめた教材として、アジア太平洋資料センター（PARC）が制作したDVD「どこに行ってる、私のお金？――世界をめぐるお金の流れと私たちの選択」があります。★39 私たちの預金や年金が、世界の環境や人たちにどう繋がっているのか紹介しているので、ぜひ見てみてください。

「どこに行ってる？」と問われるように、お金にはトレーサビリティ情報など付いておらず、色も付いていません。金融機関や年金の運用先情報を見ても具体的な投資先まではわからず、たとえすべての取引が透明化されてもこの複雑怪奇な金融システムの中で、自分のお金がグローバルマネーを経由して実際何に使われているのかをたどることはほとんど不可能です。それでも、日本の(まだ)世界的にも巨額な銀行や年金の資産が、金融界の「クジラ」と呼ばれる大きな存在として世界に影響を与えていることは間違いないでしょう。例えば、私たちの公的年金の一部を運用してい

図16　DVD PARC「どこに行ってる，私のお金？——世界をめぐるお金の流れと私たちの選択」2021年★39

る「年金積立金管理運用独立行政法人(Government Pension Investment Fund, GPIF)」の運用資産額は１９６兆５９２６億円という、庶民には想像できないほどの莫大な金額です(２０２１年度末時点)[★40]。

金融機関をモニターしている日本の団体として、フェアファイナンスガイド・ジャパン(https://fairfinance.jp)があります。この団体は、大手金融機関の投融資方針を調べて点数を付け、市民にわかりやすく公表することを通じて、環境(Environment)、社会(Social)、ガバナンス(Governance)に配慮した投資を促そうと、これらの金融機関による、気候変動や自然環境など環境系から、人権や労働、汚職や透明性、そして食、林業、漁業などへの投融資について、複雑な金融取引を根気よく調査分析してくれています。

海外のＮＧＯたちは、農業・食料システムに大きな力を持つアグリフードビジネスの巨大多国籍企業や、食と農の分野における主要な企業の大株主になっている大手の機関投資家たちの動向をモニターして、ときにはその動きを批判しています。

では、日本の大手食品企業や総合商社に投融資しているのは誰だろうと、その大株主を調べてみたことがあります。企業のＩＲ情報や有価証券報告書によると、例えば食農に大きく関与している総合商社の丸紅、伊藤忠商事、三菱商事、三井物産、そして大手食品企業の味の素、キッコーマン、明治ホールディングス、さらには農業機械のクボタや、小売大手のイオンにセブン&アイ・ホールディングスなど、みんな大株主の上位に「日本マスタートラスト信託銀行」と「日本カストディ銀行」の2社の名前がありました。これらの「資産管理信託銀行」とは何なのか、調べてもよくわからず長らく不思議に思っていました。

ようやく機会を得て金融の現場出身の先生に教えていただいたところ、大株主として名を連ねる「資産管理信託銀行」とは、ざくっと言うと、金融の事務処理屋さんといえる存在だそうです。金融システムの複雑化によって金融管理の事務処理も大変になってきたから、それまで各金融機関が備えていた事務処理部門を「金融ビッグバン」のときに集めて、みんなの事務処理をまとめて行う機関にしたようなもの。管理という用語が紛らわしいですが、株主として名前が出ますが、ここは資産を預かって管理しているだけなので、資金を出しているわけでも運用の仕方を決めているわけでもないと。

さらに資産管理信託銀行の一つである日本カストディ銀行の採用ページの図(図17上段)を使って教えてもらったのは、①の企業や年金基金が持つ資産を、②の投資顧問会社や信託

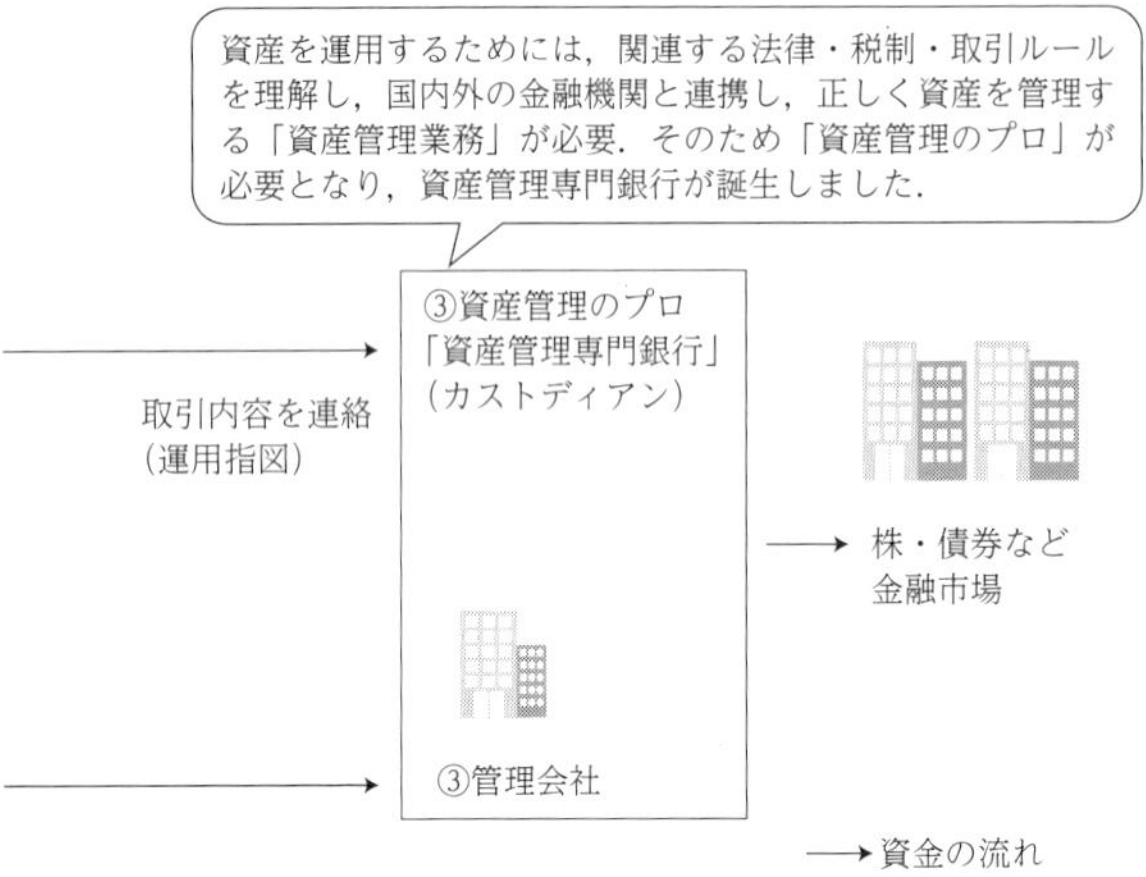
資産を運用するためには，関連する法律・税制・取引ルールを理解し，国内外の金融機関と連携し，正しく資産を管理する「資産管理業務」が必要．そのため「資産管理のプロ」が必要となり，資産管理専門銀行が誕生しました．
③資産管理のプロ
「資産管理専門銀行」
（カストディアン）
取引内容を連絡
（運用指図）
株・債券など
金融市場
③管理会社
資金の流れ

お金を増やす！ かしこい資産運用術 2022 年版』を参考に，筆者作図

投資信託の仕組み

銀行など「資産運用のプロ」が運用して、③の資産管理専門銀行が管理業務を行っているとのこと。この説明を聞いて、この構造においては資本を持ちその使い方を決めて利潤を吸い上げている、いわゆる「資本家」とは誰のことだろうと考えてしまいました。

さらに、個人向けの投資のガイド本にも似たような構図を見つけました(図17下段)。投資信託の説明として、①私たち(投資家)は販売会社にお金を渡し、それを②運用会社が運用し、③管理会社が管理することで、株や債券市場に投資すると。

なんだ、同じことじゃないか。だったら、私たちが公的年金に納めたお金を、私たちが

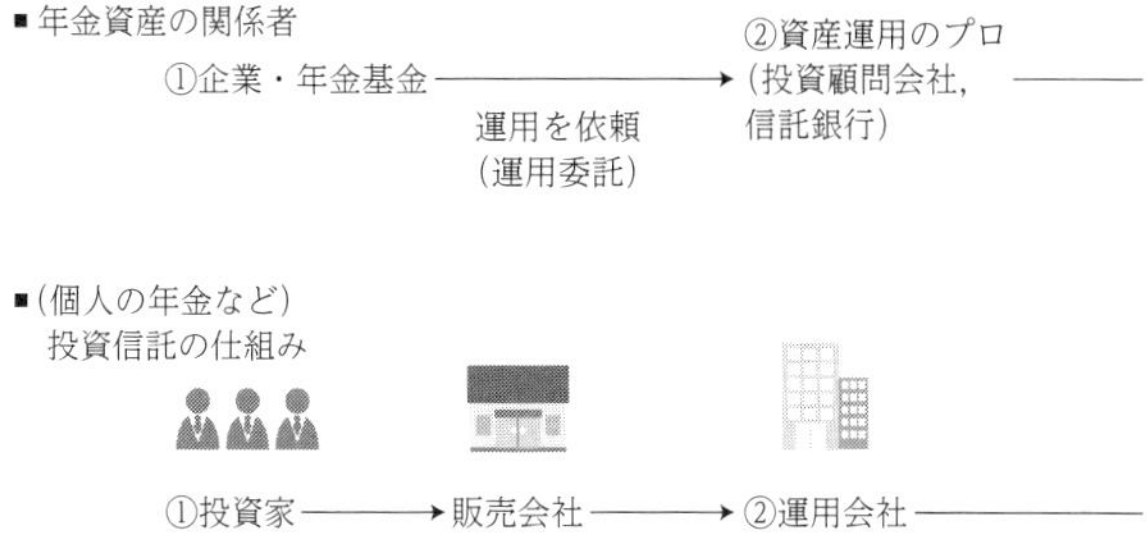

出典：(上段)日本カストディ銀行サイト，(下段)マイナビムック『どんどん

図 17　資産管理専門銀行の説明と

安心して暮らすのに十分な金額になるまで、公的年金が雇う「プロ」が運用してくれたら良いのに、なぜ私たちが個別に悩みながら手数料を払いながら自分で投資するべきなのだろうと思ったのは私だけでしょうか。

最近、日本では、「資産所得倍増プラン」などと「貯蓄から投資へのシフトを大胆、抜本的に進めていく」などと言って、[★41] 私たち個人に、貯蓄より投資するよう政府が勧めています。iDeCoやNISAのガイド本を見れば、非課税の優遇措置をちらつかせて、みんなプチ投資家になれと政府が勧めている様子がうかがえるほど。

iDeCoやNISAを紹介するガイド本

では、リスク分散のために、まずは専門家が運用してくれる投資信託で、全世界の株式ファンドなどが勧められています。投資はリスクもあるけれど、ｉＤｅＣｏなどで紹介しているのは金融庁が厳選した優良ファンドだといって、庶民の不安を和らげようと、大丈夫だから難しくないからと、安心させようとするアドバイス満載で。こんな大勢の老後を期待された、政府のお墨まで付けられた「優良ファンド」を任された機関投資家たちも大変だろうと勝手に想像してしまいました。

老後の蓄えが減ったら私たちは困ります。だから老後の生活のための資産を預けられた機関投資家たちは、資産を「運用」して増やすのが仕事であって、みんな自分たちの仕事を忠実にこなしているだけです。それがグローバルなマネーゲームの「投機マネー」となり、先に紹介してきたように、穀物の先物取引を大きく振り回して不安定化させたり、農地を買い占めたりする要因となるわけです。つまり、先に紹介してきた食や農のマネーゲームに、私たちも加担しているというわけです。

私たちがお金を預ける投資信託の仕組みを改めて見て、この構図の誰が、食と農のマネーゲームを振り回す「資本家」といえるのか、考えてみてください。私たちは老後の蓄えが減らないことを願い、機関投資家は仕事として預けられた資産をとにかく増やすよう運用し、それを管理会社が事務処理して株主として名を連ねています。私たちのお金がどこに行くのか、具体的に決めているのは誰なのでしょう。

この構図を知ってから、現代社会の「金融化」について考えるとき、「ハーメルンの笛吹き」を思い浮かべるようになりました。正確には、もはや笛吹きが誰なのかわからないため、どこからともなく聞こえてくる笛の音に、みんなが踊らされて、みんなで一緒に崖っぷちに向かっているイメージです。もはや「資本家」が誰なのかどこにいるのかわからない。資産を持つ人と、運用する人と、管理する人と、役割が細分化され、それぞれの現場ではそれぞれの仕事をこなしているだけ。

私たち庶民も含めた、老後のため子どもの教育のため、いろんな目的のために年金や保険を積立て、貯金を預け、資産運用して、自分の資産が増えることを願っている多数の人たちがいる。その資産が元本割れしたら老後や生活に困る人たちがいる。だから機関投資家たちは、食や農や自然環境に破壊的なプロジェクトでも、投機やマネーゲームといわれても、資産を「運用」して増やさなくてはならない。食と農の金融化を推し進めている、私たちもその加担者に組み込まれている。だから「仕方ない」のでしょうか？

◯金融本来の機能を取り戻す

現在の資本主義社会について活発に発言している英国の地理学者デヴィッド・ハーヴェイも、すべてが金融化されて(financialization of everything)、金融権力(financial power)が信じられないほど強力になっていることを指摘しています。ハーヴェイ曰く、１９７０年代までは、金融とは、取引の潤滑油的な役割のみで、他の部門に寄生する、自身は何も生産しない存在として考えられ、金融部門はＧＤＰ(国内総生産)に計上すらされていなかった。それが現在では、金融大手のゴールドマンサックス関係者が米国政権幹部として動いたり、金融機関は「大きすぎて潰せない」といって、巨額の公的資金をつぎ込んで救済する存在と考えられたりしている。このような金融部門を重視しすぎる現状に対して、逆に、金融はそれ自身では何も生産せず、金融だけでは生活も経済成長もできないとの認識が広まれば、金融を優遇する流れも是正されるだろうと語っています。★42

つまり、金融の力というのも、普遍的にずっと絶対だったわけではないとのこと。金融本来の機能は社会に必要だし有益なもののはず。本来ならば金融とは、余裕のあるところから資金を、投資を必要としている人や場所に融通して新しい技術や事業を発展させるもの。潤滑油としての投融資のシステムや、国際貿易の決済のための外国為替取引、農家が数ヵ月先の収穫時における価格をリスクヘッジするための先物取引の仕組みなど、金融本来の機能は広く社会に貢献ができるものです。そのためには、政府などが介入して金融の投機面をコントロールし、本来の富の生産に関わる、社会に広く恩恵をもたらすことができる、金融本来の機能を強化すべきだと。

そもそも、金融制度も社会的に共通の財産であるべきだとは、前から議論されていました。経済学者の宇沢弘文は、社会的共通資本[★43]を「一つの国ないし特定の地域に住むすべての人々が、ゆたかな経済生活を営み、すぐれた文化を展開し、人間的に魅力ある社会を持続的、安定的に維持することを可能にするような社会的装置」と定義し、社会全体にとって共通の財産として、社会的な基準に従って管理・運営される制度資本として、金融制度も位置づけています。

だからこそ、100年前の世界大恐慌の後には、ルーズベルト大統領が通達として「1933年銀行法」(グラス・スティーガル法)を制定して、金融本来の機能を強化しなおしたのです。金融と証券業務を分離し、中央銀行の権限を大幅に強化し、預金金利の上限を設定し、銀行持株会社を規制、預金保険制度の創設などを定めた同法を、宇沢は、銀行制度を一つの社会的共通資本とみなして、人々が安定した生活を営むために、銀行が果たすべき本来的な機能を十分に発揮できる条件を整備しようとするものだったと評価しています。

湯水と一緒に赤ん坊を捨ててはならないとハーヴェイも指摘しているように、金融そのものを否定するわけではありません。ただ、すべてがマネーゲーム化して「金融権力」に振り回されているような、現代社会の「金融化」の影響力をきちんと認識するとともに、それを作り直して社会みんなに有益な制度としての金融を取り戻すことが重要だと思うのです。

5章

現代社会の技術革新とデジタル化
～イノベーションで世界を救う？

いつの世でも、技術で問題を乗り越えようとする動きがあります。かつて、世界の飢餓問題を改善するためと、技術で穀物の収穫量を増やした「緑の革命」がありました。現在の気候危機も、技術でカーボンニュートラルにしようとか、肉の代わりに細胞を培養しようとか、取り組まれています。技術革新の動きは私たちが何をどう食べるかにも大きな影響を与えます。国内外の政府や経済界も、イノベーションで食料危機や気候危機を乗り越えようとしている様子です(「イノベーション」にはもっと広い意味もあるのですが、ここでは「技術革新」とほぼ同じ意味で使っています)。

でも本当に、技術さえ進歩すれば、人も自然も壊さない世界になるのでしょうか？　創意工夫は人の常。といっても、その技術革新が、現代社会では、何を犠牲に誰の益となっているのか、要注意です。

◯イノベーションは誰のため？

まずは、食におけるイノベーションについて、流行のChatGPTに尋ねてみました。

Q：食におけるイノベーションを教えて

A：以下は、食におけるイノベーションの例です。

1．プラントベースの食品：植物性の食品が注目されています。代替肉や代替乳製品、代替卵などのプラントベースの食品が多く開発され、需要が高まっています。これにより、環境問題にも貢献することができます。

2．食品廃棄物の再利用：食品の廃棄物を再利用する取り組みが進んでいます。例えば、野菜の皮や果物の皮を使ったジュースやスムージーが販売されています。

3．食品のオンライン販売：近年は、インターネット上での食品販売が急速に拡大しています。食品の購入が容易になり、より多くの人々が手軽に健康的な食生活を送ることができるようになりました。

4．食品ロボット：ロボットを使った食品の調理や配達が進んでいます。これにより、より迅速かつ効率的なサービスが提供され、人手不足やコスト削減などの課題を解決することができます。

5．食品の栄養価の向上：健康志向が高まっている現代において、栄養価の高い食品や機能性食品の需要が高まっています。食品メーカーなどでは、より健康的で栄養価の高い食品を開発する取り組みが進んでいます。

以上が、食におけるイノベーションの例です。これらのイノベーションにより、より健康的で環境にやさしい食生活が実現し、社会全体の健康と持続可能な発展に貢献することが期待されています。

なるほど。イノベーションによって、より健康的で環境にやさしい食生活が実現し、より持続可能な発展に貢献できうるとのこと。めでたしめでたし、と、ここで終わるのは、ＡＩに使われてしまう人間でしょう。

ChatGPT などの生成型ＡＩは、既存の情報を参照して深層学習アルゴリズムでもっともらしい回答をまとめるそうなので、この辺が一般的に語られている話だと見当づけられます。

さらに深掘りすると、深層学習アルゴリズムも全く中立的に技術的な分析で回答するわけでなく、じつは世間的に好ましい回答が生成されるように調整されているそうなので、この回答が、ＡＩを設定している企業か政府かが今の世の中で良しとする、もしかしたら広めたいストーリーかもしれないと考えられます。

ＡＩの回答を見ると、環境と健康、少しだけ効率化が、キーワードらしい。いずれも「持続可能な」という、流行のＳＤＧｓに沿って(それを目的と称した)イノベーションが進められているということでしょう。

折角なので、ChatGPT の回答に一つずつ、人間様の威厳を込めて(?)私が反論してみましょう。

1．プラントベースの食品：植物性の代替食品が「環境問題に貢献する」というのは、現在の畜産業が温室効果ガスの一大排出源になっている問題に対する動きです。石油由来の資材を大量に使って生産したトウモロコシや大豆粕などをエサとして大量に牛や豚に食べさせて、その大量に排出されるふん尿の処理をして、そのエサも肉もあちこち輸送して貿易するために、膨大なエネルギーを費やしCO2やメタンガスなどの温室効果ガスを大量に排出するから。確かに、現在の工業的な畜産業は環境に負荷を掛けています。でもこれは、肉食自体が悪いわけではなく、家畜を飼い食することが元からこのように環境破壊的だったわけではありません。これは近代以降、穀物を大量生産するようになって、その過剰に生産した穀物を家畜に食べさせて肉や乳製品にして、付加価値をつけて販売した方が利潤をあげられるからと始まった方法です。その後、どんどん工業化・化学化・大規模化していった結果、現在の畜産業は環境に大きな負荷を掛けるようになってしまったのです。逆に、有畜複合農業やアグロエコロジーなど、作物と家畜とを生態系にうまく組み合わせて一緒に育てる、環境にプラスに貢献できる畜産法も存在しています。

2．食品廃棄物の再利用：これは廃棄する物を再利用して新商品を作り販売しようとのこと。確かにそのまま捨てるよりは資源の有効利用といえるでしょう。ただ、Reduce(リデュース)、Reuse(リユース)、Recycle(リサイクル)の3Rのうち、最も効果的なのはリサイクルではなくリデュース、減らすこと。そもそもこれほど食品廃棄物が出てしまうのは、食料品が売って儲けるための商品として大量生産され、販売機会を逃すまいと過剰供給される、現在の経済システムに組み込まれていることが大きな要因です。しかも、リサイクルするためにもエネルギーや資源を使うため、環境負荷をどれだけ減らせるかは疑わしい。ビジネスとしては成り立つかもしれませんが。

3．食品のオンライン販売：インターネット上での食品販売が拡大したからといって、すべての人にとって食品の購入が容易になったわけではありません。ネット接続が充分できない人やデバイスを持ってない、使えない人も少なくないですし、送料などを負担することが難しい購入者や小規模販売者もいる。それに、オンライン販売する商品は、注文は画面上で「ポチッ」とできても、実際の物を誰かが仕分けて配送しなくてはならない。食品のデリバリーも普及して「ギグワーク」という隙間時間に働く人たちも増えましたが、その契約や労働条件には不平等・不明瞭で劣悪なものがあります★44。「手軽」なシステムを支える裏方の仕組みにも目を向けるべきでしょう。そもそも、郊外のショッピングセンターに行かなくても近所に小さな食料品店や飲食店があって、まじめに働けば料理をしたり食事を楽しんだりできる余裕を持てる労働環境があれば、多くの人がもっと楽しく健康的な食生活を送ることは可能なはず。

4．食品ロボット：人手不足やコスト削減のためにロボットを導入できるのは、それなりに資本のある企業でしょう。新しい技術や設備はタダではないため、導入できる大手企業には有利でも、逆に導入が難しい小規模事業者を駆逐してしまう恐れもあります（食や農の分野には、個人や零細事業者も多いのです）。そもそも農業生産や食品産業での仕事がキツい低賃金労働なために人手不足なのであって、それは農業や食料システムを工業に対して低価格に抑えようとした資本主義経済の都合もあったと考えられます。労働者の食費が安い方が、賃金を低く抑えられますから。また、ロボットの導入は、そこから吸い上げられた食や農のデータが企業側に都合の良いように使われる懸念もあります。

5．食品の栄養価の向上：まず、栄養イコール健康ではありません。どんな食品の栄養素が良いかは、いろんな考えの違いがあるし、食べる人の状況や時代によっても変わってきます。例えば私が研究している油脂についても、動物脂肪が良いといわれた時代もあれば、植物性油脂が良いといわれる時代もありました。また、健康的で栄養価の高い食品はすでに存在しているけれど、それを入手したり調理したりできる余裕を持てない人がいることが問題なのです。栄養と健康の関係は複雑なので、ただ栄養価の高い食品を開発して販売すれば、それがそのまますべての人たちの健康(公衆衛生)に貢献するとは限りません。

ざっくりとですが、ＡＩが答えたようにイノベーションですべてバラ色の社会が実現できるわけではないことが伝わったでしょうか。必ずしも「イノベーションにより、より健康的で環境にやさしい食生活が実現し、社会全体の健康と持続可能な発展に貢献」できるとは限らないのです。技術が社会全体に貢献するためには、その技術を誰がどう使い、その利益を誰が手にすることができるか、もっと社会的な仕組みが重要です。逆を言えば「健康的で環境にやさしい食生活」のための技術はすでに充分あるのに、経済社会的な理由から、それらを実現できていないことも多い。また、既存の技術をうまく活用すれば改善可能な場合であっても、人々が持っている既存の知識の技術は特許で知的財産権を囲い込むことも投資して儲けることも難しいから、企業や政府は新しい技術を開発するイノベーションを好むのです、とまで言ったら、言い過ぎでしょうか。

投資や投機は新しい技術を求める

ＡＩも回答しているように、食や農の分野におけるイノベーションとして、植物由来の代替肉や培養肉などを含む「タンパク質産業」が技術革新の注目の的となっています。私の周りでも、京都府がフードテック・スマートバレー構想を進めて、京都大学発の企業が「ゲノム編集技術を活用した超高速品種改良」したマダイを「AI/IoTを活用したスマート養殖」したそうです。そしてこのマダイが京都大学の生協の食堂で「京大バーガー」として提供されたとのこと。

このように、牛や豚や鶏の肉や乳製品だけでなく、魚介類や、従来の大豆加工食品だけでなく植物由来だけれど高度な加工をして見た目も食感も肉っぽくした代替肉や、細胞から培養した培養肉など、さまざまな食品を含む「タンパク質産業」に、これまたいろんな国や分野の、大企業から大金持ちの個人まで、いろんな投資が集まっています。このタンパク質産業への資本集中を調べているハワードらによると[★45]、従来から食や農に関わっていたアグリビジネス資本に加えて、日本や中国を含むアジア系資本やイスラエル系の資本、また、今まで食農に関係なかった機関投資家や金融資本、アセット管理会社などが積極的に投資していることが報告されています。タイソンやカーギルなど既存の飼料・畜産資本に加え、ビル・ゲイツやリチャード・ブランソンなどの大金持ち、さらに、三菱、三井、住友など日系資本も。これらタンパク質産業の新規企業の商品はまだ開発中で、その商業化は数年先のものが多いにもかかわらず、２０２０年末までにすでに3億５０００万米ドルを超える投資が集まったとのこと。

　新しいタンパク質産業は、食料危機や気候変動を技術で改善できるといいます。本当に地球や人類の将来を懸念してＳＤＧｓ達成を願ってここに投資した人ももちろんいるでしょう。ただ、「金融化」の章で紹介したように、現在はとにかく膨れ上がった金融資産を「運用」してとにかく増やすため、つまり短期的な儲けを目的とする投機マネーが何でもいいのでその運用先を求めて彷徨っている状態ですから、これらの投機マネーがタンパク質産業に多く群がっているともいわれています。「代替タンパク市場に参入するシリコンバレーの企業は、そのビジネスモデルがベンチャーキャピタルに依存しており、投資家は短期間で収益性と世界を変えるインパクトの両方を求めている」と、米国ＵＣサンタクルーズのガスマン教授は批判しています[★46]。

極論すれば、年金なり、投資信託なり、基金なり、預かった資産をとにかく増やすことを任された機関投資家たちにとっては、資産増が見込まれる動きであればその内容はＳＤＧｓでも戦争でも何でも構わないのです。これらのイノベーションが人類や地球にとって本当に救いとなるか否かより、その値動きが自分に任された資産を増やす方向に動けば良いのですから。経済学者ケインズが、株式投資で儲けるコツを美人コンテストに例えて説いたように、自分が美人だと思う人より、最も票を集めると思われる女性を選ぶと儲けられるという「美人投票」の勝ち方に通じているかもしれません。

それでも、お金が流れた方向に、食や農がリアルに動くのです。

ビッグデータを握るのは誰？

農業における技術革新は「アグテック（AgTech）」と呼ばれ、これも注目と投資を集めています。ＩＴ技術やセンサー技術、ロボット技術、バイオテクノロジーなどを活用して、農家の生産性を向上するとのこと。例えば、センサーで農作物の生育状況や土壌の状態をリアルタイムに把握して、そのために適切な施肥や水やりをアドバイスしてくれるとか。または、IoT技術を活用して、トラクターなどの農機具を自動運転することで、労働力不足を解消したり作業時間を短縮したりできるとか。

こうしてあちこちに組み込まれたセンサーや、IoTやロボットなどの動きや操作指示から、農作業に関するさまざまな情報が集積され、ビッグデータとしての価値を高めているとのこと。例えば、農家側では、センサーが検知した田畑の土壌データ、降雨量や土の中の水分量など水関係のデータ、気候や温度のデータなど。そして、その栽培環境の中で農家が実際にいつどんな農作業を行ったかの情報が、農機具やサービスを提供した企業にビッグデータとして集められるとのこと。つまり、センサー情報や分析サービスなど、農作物の生育状況や土壌の状況を把握するサービスを農家に提供しつつ、それに対する農家の判断や、農家が長年の知識とスキルと経験とに基づいて作業するノウハウの情報を吸い取って集めて、ビッグデータとして活用するそうです。

集めたデータを企業は何に使うか？　当然、新商品の開発やマーケティング、もしくは、センサー情報に基づいてその状況に「適した」農薬や肥料などを「我が社の製品」から推奨して販売促進することに使うでしょう。

食べる側の私たちの購買行動も、例えばアマゾンに代表されるプラットフォーマーたちが、データを集めています。私たちが食品やレストランを検索したとき、閲覧したとき、購入したときの記録を集めて、さらには、スマートウォッチから移動や体温や心拍数などのデータも集めて、重ね合わせたら、どこの誰に何時に何をお勧めして、その商品を買って食べるように促すことも可能になるでしょう。

さらには、私たちに食品を販売する小売業や外食産業が、食料システムの上流に遡って、生産からの食料システムを管理して「効率化」できるようになるかもしれません。実際、プラットフォーマーやITデジタル関係企業は、すでに食料システムの上流までかなりの部分に手を伸ばしているといわれています。

このように、食や農の分野は、企業や、そこに投機的な目的で群がる資産運用会社や投機家たちにとって、「収穫」したいデータの宝庫だと警告されています。

国際NGOのETCグループは「ビッグブラザーがやってくる——私たちの食を襲う見え

ない脅威」という短い動画を作成し、農業・食料システムにおける「テック」化について、その影響を警告しています。[★47] 生産者も消費者も、便利なツールを「利用」しているつもりなところ、じつはその情報が吸い上げられ蓄積されている。そうして集めたビッグデータを、企業側は当然、販売増加や利潤最大化という、株主の利益を得るために利用するでしょう。株式会社とはそういう組織ですから。その結果、生産者は次々と投入されるデジタル技術や装置の導入費用を負担しつつ、自分たちが長年築き上げてきた農業生産や経営のノウハウを吸い取られ、さらには生産者の自主的な決定権がどんどん削られると懸念されています。消費側では、私たちの個人情報が吸い取られるのはもちろん、蓄積した閲覧や購買行動のデータをアルゴリズムで分析して、その分析結果から、次に私たちがネットを見たとき、さりげなく確実に、ある特定の方向へ（当然、企業が儲かる商品の販売へ）促すことでしょう。

技術と人と自然と

私が初めて食と技術との関係を学んだのは、まだ食料問題も経済のことも知らない中学生のころ、犬養道子『人間の大地』（中央公論社、1983年）を読んだときでした。南北問題、緑の革命、アグリビジネス、多国籍企業などについて、後に大学院で勉強することになった問題が書かれてありました。

とくに印象深く残ったのが、「緑の革命」という技術革新によって食料の収穫量を増やしたのに、飢える人たちを救うどころか飢餓人口を増やしたという問題でした。1960年代ころ、途上国(「南」)における飢餓問題を改善するためといって、小麦やコメを品種改良して収穫量を増やし(技術革新)、その種子と栽培技術を途上国に紹介して(技術移転、開発援助)、食料の生産を増やそうという、国際機関や政府による一大キャンペーンでした。

ただ、ロックフェラーやフォードなど「北」の財団も援助した研究所が品種改良した種子は、確かに収穫量は増やしたけれども、そのためには適切な水管理のために灌漑《かんがい》を必要として、化学肥料や農薬も必要としてなど、種子を購入するだけでなく、栽培のための資材投入にもお金がかかる「技術革新」でした。結果、それだけのお金を出せる裕福な農家には有利だったかもしれないけど、逆に貧しい小規模農家は借金が増えて農地を失ったり、それまで自給できていた食料まで購入しなくてはならなくなったりと、むしろ技術導入の前より貧しく追い詰められてしまったのでした。「北」の援助や技術革新によって食料を増産することで、じつは飢餓難民や栄養失調の子どもを増やしたという大きな矛盾について、こう書かれてあります。「緑の革命は、農民貧民に主眼と基礎を置くものではなかったから。むしろ大地主・富豪に(ひいてはビッグビジネスに)主眼と基礎を置くものだったから。その証拠には、緑の革命が各地にとり入れられてのち、銀行からカネを借りて大耕地所有者となる人々のパーセンテージが、富者の間で二百も増加した……。そして、緑の革命を可能とする肥料やトラクターを手がける「北」の大企業に至っては、わが世の春の到来とおどり上ってよろこんだ！　貧しい人々はごっそりと忘れ去られた。」(犬養道子『人間の大地』１９８３年、p. 135)

結局、技術革新といっても、何を犠牲にして誰が得をするのか、それが問題であること。農業における収穫量を増やすことと、人々の胃袋を確実に満たすこととは、別の話だと学んだものでした。

また、私が後年、修士留学した英国ロンドン市立大学「食料政策センター(Centre for Food Policy)」のティム・ラングたちは、食と農に関わる技術や言説、知見、価値観まで

を含めた考え方として、次の3つのパラダイムを紹介しています。★48

ざっくり紹介すると、近代の始まりから、食と農の分野でも化学と技術の革新で工業化・商業化・大規模化が進められ、とにかくたくさんの食料を生産して世界人口の増加に対応しようとしてきた。けれどもそれでは飢餓問題は解決できず、逆に食べ過ぎて不健康になる人も増えて医療費がかさみ、しかも気候変動や汚染など環境にもマイナスの影響を与えるようになった。そこで改善策として2方向の取り組みが行われている。一つは「ライフサイエンス・パラダイム」として、新しい技術の開発と導入(技術革新)で健康や環境の問題を改善しようとするもの。もう一つは「エコロジー・パラダイム」として、それぞれの地域における生態系や人の繋がりや共生関係を活かして、その地に培われたノウハウも再発掘して、人々が主体的に食と農を支えていこうという考えです。

【生産主義パラダイム】

近代以降の資本主義経済の発展に伴い、科学、輸送、農業などの技術進歩に支えられながら工業化・商業化・大規模化した農業・食料供給システムの枠組み。資本や生産材を多投入した農業で商品作物を大量生産し、食料品を市場へ大量供給した。主に農業省が補助金を使ってその大量生産・大量供給を支援。大規模農場、機械化、化石燃料への依存を強める一方、小規模生産者や農村部は疲弊した。世界人口の増加に対して食料増産に成功したともいえるが、安価に抑えられた資材やエネルギーを多用し、自然や社会への負の影響を外部化してきたため、継続困難(持続不可能)との認識は広まっている。

【ライフサイエンス・パラダイム】

健康や環境における破綻から、生産主義パラダイムの欠陥を修正するとして台頭。バイオテクノロジーなど新技術を食料生産に応用し、食品を健康や環境などの問題への対処法のように活用する。しかしその主体は従来のアグリビジネスが率いており、自然を装いつつ実験室から農場工場まで産業商業重視であり、政府・産業・市民を商業省や財務省が背後で調整している。新技術や新商品を重視するため投資を集めやすいが、その恩恵は個人ベースであり、貧富の差を広げ対立を深める恐れがある。

【エコロジー・パラダイム】

アグロエコロジーに近い考えに基づく。人と人、人と自然の相互依存性や共生関係を重んじ、生物科学を用いながらも自然に対して操作的ではなく、統合的であり、生態系多様性の保全を目指す。それぞれの地域における生態系の特異性やその地で育まれた知識・技術の再発見を促し、地域に適した技術や知識が重要であるため、知識集約的である。地域の小規模農家や事業者を主体とし、その食料供給システムの透明性を重視しつつ、食べる側も消費者ではなく市民として主体的に参加する。

この三つの枠組みに当てはめて考えると、日本の政府や企業はまだまだ「生産主義パラダイム」に留まっていたけれども、最近になって国際社会から気候危機への対応を迫られ、「みどりの食料システム戦略」やスマート農業など、企業によるイノベーション主導の「ライフサイエンス・パラダイム」で乗り切ろうとしている。他方、日本でも各地でいろんな人や団体が地域に根ざした有機農業やアグロエコロジーなど「エコロジー・パラダイム」と考えられる取り組みを行っているけれども、まだ分散された個別事例に留まっている、という感じでしょう。
この中で投資家にとって魅力的なのはどれか、もうわかりますよね?
そもそも「有機農業」にも、ビジネスになる方法と、人や自然にとっては望ましいけれどそれで儲けるのは難しい方法があることを、昔、丹波の農村で畑を耕していたころに当時のプロジェクトリーダーから教わりました。

【引き算の有機農――Organic by neglect】

今までの農薬や化学肥料などの投入を止めるだけのもの。有機というより、無農薬や無肥料の農法。これは資材投入は少なくできるけれど、収穫量も少なくなる。なぜなら、コメもトマトやナスも、私たちが作物として植える植物は、人間が自分たちの都合に良いモノを長年選んで変えてきたものだから、自然な姿からはかけ離れてしまっているから。そんな作物をただ「自然に」栽培しても、あまり良い収穫は得られないということ。

【置き換えの有機農――Organic by substitution】

今まで使っていた農薬や化学肥料を有機的な資材に置き換えるだけのもの。有機的な農薬や肥料は販売もされている。これはある程度の収穫は望めるかもしれないけれど、資材もたくさん、多くは外部から購入して、投入することになる。つまり、生産コストも高くなる。

【組み立ての有機農――Organic by management】

その地の生態系が持つ資源やエネルギーをうまく活用して循環して、自然が一番力を発揮できるように上手に組み立ててあげるもの。これが少ない投入で、一番豊かな収穫を得ることができる。「自然の意に添った働きを人間が行うときに、人間は自然から最高の恩恵を授かる」という易経の教えにあるように。

ただ、その地の資源をうまく活用・循環して成果をあげることは、外部からの商売や投資をあまり必要としないから、投資家たちにとっては魅力が薄いかもしれません。

１９７３年に『スモールイズビューティフル――人間中心の経済学』を出版した、英国経済学者のＥ・Ｆ・シューマッハーは、科学や技術について、次のように述べています。「安くてほとんどだれでも手に入れられ、小さな規模で応用でき、人間の創造力を発揮させるような、ものでなくてはならない。以上の三つの特徴から非暴力が生まれ、また永続性のある人間対自然の関係が生まれてくる★49」と。

この考えは、適正技術(appropriate technology)として、後の人たちによって発展されています。

技術と人間との関わりは、科学技術社会論(ＳＴＳ)という学術領域でそれを専門に研究している学者がいるほど、奥が深い問題です。ただ、かつて自らの食やエネルギーを作る「適正技術」として、有機菜園や堆肥の育て方や、バイオディーゼル燃料の手作りの方法などを紹介していた私は、食や農の分野にも、金儲けの対象にはならないけれど、人も自然も壊さず生命の糧を得ることができる適正技術はすでに充分に存在していることを体験しました。問題は、それを実現可能にするための、経済や社会の仕組みづくりだと考えています。

おわりに

◯現在の経済学の課題は、成長より「格差」

現代社会を反映する経済学教育を推進しているCOREプロジェクトが、学生たちに「経済学が取り組むべき最も重要な課題は何か」と問うたところ、「不平等(inequality)」、いわゆる「格差」を筆頭にあげたそうです。[★50] 世界18ヵ国40大学から参加した8000人を超える学生たちが、2016年から2020年までずっと、経済学が取り組むべきは成長ではなく、今までの経済が広げてきた格差だと考えていると。

経済に限らず、その他の分野でも、格差、不平等、不公平が広がりつつあるのが現代社会ではないでしょうか。

気候危機は地球的な課題であり、ある意味、世界の人全員が被害者かつ加害者といえます

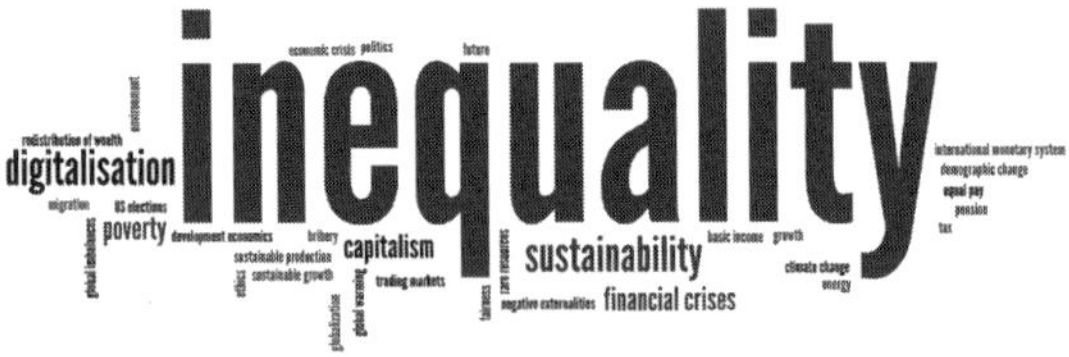

出典：COREプロジェクトサイト(www.core-econ.org)より

図18　経済学が取り組むべき課題とは？★50

が、そこにも「炭素格差(carbon inequality)」と呼ばれる理不尽な不平等があります。例えば、１９９０年から２０１５年に排出された炭素排出量のうち、半分以上の52%は世界人口の１割にすぎない金持ちが排出していたとのこと。しかも炭素の15%は一番金持ちな１%(人数にして６３０万人)が排出していたそうです。逆に世界人口の貧しい半分が排出したのはたったの７%だけ。★51

　金持ちは飛行機で飛び回ったり贅沢な消費をしたりして気候を危機に陥れていながら、異常気象などが起こるとさっさと逃げることもできる。逆に、貧しい人たちは、ずっと少ない炭素しか排出してこなかったのに、海面上昇で住まいが水浸しになっても災害地域になっても、そう簡単には動けない。すでに異常気象や環境破壊のために移住を強いられる「環境難民」も増えていますが、多くは貧しい50%からの人たちでしょう。

　食べものの世界にも、格差があります。健康な食事は贅沢になり

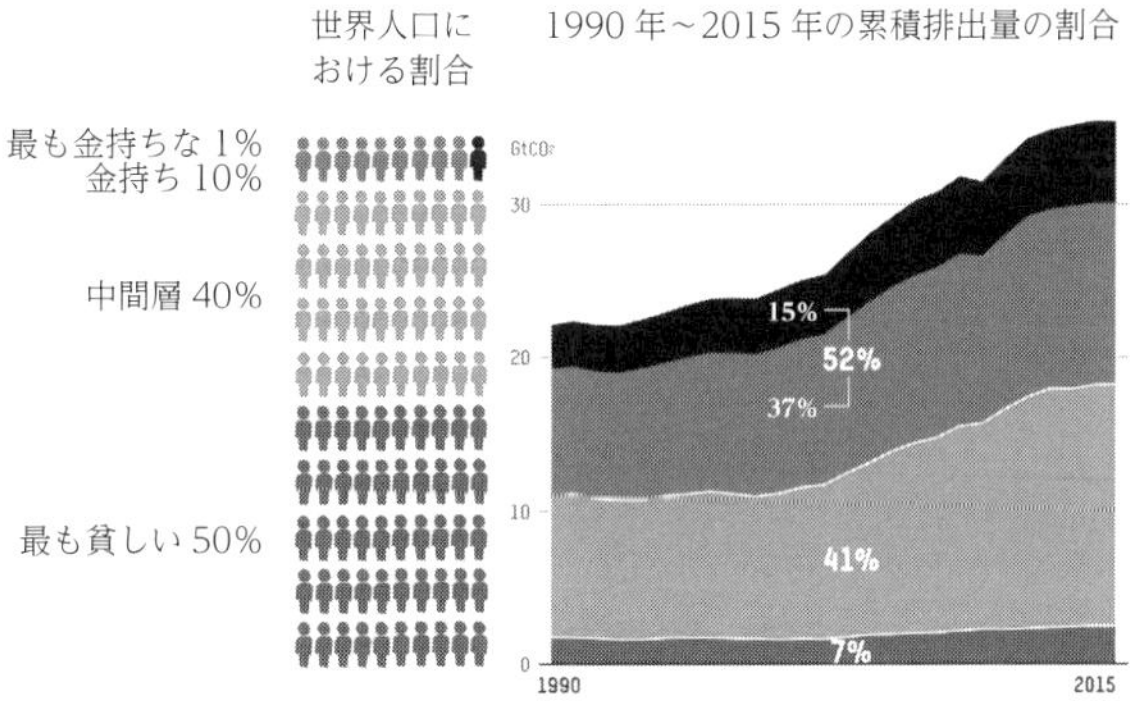

出典：OXFAM International（www.oxfam.org/）より[★51]

図19　炭素格差

つつある現代社会。すでに米英などの先進国における貧困層や途上国の貧困層においては、貧しい人はど安くて糖分や油脂分が多い「空っぽのカロリー」な食事しかできず、「貧困＝肥満や不健康」となっています。そのため、英国では政府レベルで「食生活由来の健康格差」が議論されています。[★52]

日本では食の格差への認識はまだ薄いですが、例えば、有機栽培された、生態系の中で元気に育った食べものを広めたいと思っても、「高くて無理」と言われることが多い。こだわるつもりはなくて、自分の身体と心を健全に保つための自己防衛、そして自然や地域社会を壊さないための、現在では追い詰められがちな小さな農家や食品業者を応援するための、そのための選択だと思っても、でも、そういう食べものは多くの場合は高額になりがちで(実はいつもではないですが)、贅沢な「こだわり」に分類されてしまう。それは裏を返せば、お金のない人は、人や自然を壊しているかもしれない、自分の身体と心にも不健康かもしれない、表面上は安価に入手できる「食品」を食べておけということになる。そんな「食の格差」は日本にもすでに存在していると思います。

消費者に余裕がなくなってくると、食料システムの企業も競争で生き延びるためにどこかでコストを削らなくてはならない。それは食品産業で働く労働者や生産者に、そして自然環境に、ますますシワ寄せされることになる。

これは食と農だけの話ではなく、他の商品でもサービスでも似たような構造だと思います。そして「エッセンシャル」なモノやサービスが、ますます安く削られていく。

資本主義経済が削ってきたもの

私は昔、丹波の農村に住まいながら食と環境と開発の問題に取り組んでいたころ、つねに「誰の犠牲で、誰が儲けているか(Whose cost? Whose benefit?)」を考えるようにと教えられました。この世の中、無から富は生み出せない。では、何を搾り取って、誰が儲けているのか。

少し乱暴な言い方をすれば、資本主義とは、絞れるところから資源や富を絞って、儲けや利潤をあげて競争を続けるシステム。その絞る対象として、かつて経済学者たちが主に議論してきたのは、資本家が労働者を搾取する話でした。その関係は現在もあるとは思いますが、ただ、「金融化」の章で考えたように、現在では「資本家」とは誰なのか、もうわからなくなってきている。さらに、経済学は基本的に自然は「所与」のものと考えていた。つまり、自然とは当たり前にあって、いくら使っても構わないものとしてスルーしておきながら、自然の資源を使い倒して利潤をあげてきたという感じ。資本主義こそが気候危機の要因だとナオミ・クラインたちが言うように、今ごろになってSDGsとかいって、経済を発展させるためには健全な社会と自然環境が必要だと慌てて見直している感じ。水も、昔は「湯水のように使う」なんて惜しげもなくむやみに費やすことの表現に使われていたけれど、今では「ブルーゴールド」といわれるほど、今後は石油より水資源をめぐって戦争が起こるだろうと考えられるほどになっている。

資本主義経済が「湯水のように」使い倒してきたのは自然だけではなく、食事の用意や子育てやケアなどを担う、主に女性の無償労働もありました。『アダム・スミスの夕食を作ったのは誰か？』[★53]という本が話題になったように、肉屋もパン屋も利己心で自分の利益のために動くことによって経済が回ると説き、経済学の祖とあがめられているアダム・スミスですが、その自分のために毎日の食事を用意してくれた母親の利他的な無償労働は無視していたとのこと。食べものの世界では、食事を用意したり、料理や後片付けをしたり、家庭菜園の畑を面倒みたりするのは、いまだに女性が多い。その女性の無償労働によって「再生産」された労働力が、賃労働に出かけていって経済活動を支えてきたのに。

その経済活動を計算するためによく使われているのがＧＤＰ（国内総生産）です。でも、ＧＤＰでは、私たちの幸せや、子どもたちの健康や、教育の質や、人生を豊かにしてくれることを計ることができないとは、もう半世紀も前に米国のロバート・ケネディが演説していたほど、昔から知られていたことでした[★54]。

ＧＤＰで計っていると、食料品を過剰に生産して、過剰に消費（食べ過ぎ）すれば経済成長！　食べ過ぎてメタボになってジムや医者に通えば経済成長！　食品ロスが増えてもその処理事業で経済成長！　と、人や地球が不健康になればなるほど「経済成長」していることになるシステムはおかしいとは、前著でも紹介した『肥満の惑星(Planet Obesity)』★55がもう10年以上も前に言っていたことでした。逆に、私が家庭菜園で有機栽培した野菜を、自分で料理して、おいしく健康な食生活をして、人も自然もハッピーになっても、GDPには計上されないから経済成長にはならない。

つまり、人や自然など、できるだけ「タダ」で搾り取れるものを搾り取って、お金で計られる部分だけの利潤を追求してきたのが、資本主義経済。人や自然に役立つ「使用価値」を搾り取って、市場で売ってお金に換えられる「交換価値」を高めようと努力してきて、その「経済」活動をGDPで計って、主にその部分を増やそうと政府も企業も努力してきて、その過程で人も自然も壊して、今ココ、という感じでしょうか。

さらには「金融化」によって、膨れ上がったお金的な資産をさらに増やそうと躍起になっている。すでに必要なモノを作るだけではお金を増やせないから、とにかく新しく儲けるフロンティアを求めて、グリーンやエコも、ビッグデータも、公共部門も、バーチャル世界も、ビジネス化して市場に組み込もうとしている、というのが現代社会だと思います。

今まで上の世代がそうやって人も自然も壊しながら借金も増やしながら行け行けドンドンでお金の部分だけを増やそうとしてきたから、今ごろになって「ＳＤＧｓ」とかいって社会や自然環境も大切とかいって、自分たち世代に問題を押しつけているのだと、「ＳＤＧｓネイティブ」と呼ばれる若い人たちが思うのは当然でしょう。

それなら、これからの世界を築くためには、古い経済学のセオリーを唱えるだけでは上手くいかないと思います。

小さく、分散して、自主的に動き始める

資本主義経済において、資本は集中（蓄積）し、巨大化した資本（企業や金融など）が力を持ち、経済の回転を速くする傾向があるそうです。とくに追求する利潤や経済成長を、「お金」で計算できる部分を増やすこと、市場で売ることができる「交換価値」を高めることに限るわけですから、そのために人も自然も搾り取られて壊されて当然でしょう。

この資本主義経済に組み込まれて、食と農も変えられてきました。かつて、自分たちが食べるためには、その地の自然環境や資源を大切に保護しながら活用しながらその循環の中で

© T's Graphic Dialogue　グラフィックカタリスト 成田富男

図 20　世界規模の食料システム(グローバル・フード・サプライチェーン)

多品目の作物を必要な分だけ栽培していました。それなのに売るための「商品作物」を効率良く生産するためには、外部から購入した種子や肥料・農薬も使って、限られた品種の作物をなるべく大量に栽培するようになりました。

現代社会の、資本主義経済で「効率化」された、世界規模の食料システム(グローバル・フード・サプライチェーン)は、図20のように示されます。農業は大規模化・工業化・商業化され、その生産資材も、4社で世界市場の半分以上を寡占しているような巨大企業が販売する肥料や農薬、除草剤、種子を購入して使っている。農場から出荷された商品作物は、これまた巨大企業が処理や加工することが多い。そして国境を越えて貿易・流通され、これまた巨大企業が多いスーパーマーケットやコンビニや外食産業を通じて私たちの口に入る。

この、集中された細い線で繫がった食料システムだったからこそ、新型コロナウイルスの感染予防のために人やモノの移動が止まると寸断されて、1ヵ所でも止まると全体的に動けなくなったり、ウクライナとロシア2ヵ国からの穀物や肥料の輸出が危うくなるとたちまち世界中が食料危機に怯えることになったりと、このリスクを集中させた食料システムの脆さ、危機への脆弱さが露呈したのでした。

でも、政府や企業は「business as usual（いままで通り）」の古い呪文を繰り返して、ただ貿易を再開させて、似たようなシステムを再建しようとしているようにみえます。それでは、私たちの食を得るためのシステムは、これから起こりうるリスクに弱いままで、生産者や食品産業の労働者は低賃金重労働のままで、引き続き人も自然も破壊するシステムに留まってしまうでしょう。

では、どのような食料システムならリスクにも強い弾力性や回復力を持った「レジリエント」な食と農と経済を、みなさんの未来を、築くことができるでしょうか。

まずは、今まで人も自然も壊してきたカラクリの逆を考えて、小さく分散して、急がず、自分が主体的に考えることから始めてみると良いと思います。

自分から、まずは小さく、考え動き始めること。それは小さいけれど大きな第一歩です。

前著『食べものから学ぶ世界史』の終章でも、私はみなさんに、まずは少しだけでもお金の世界から離れて、自分でお茶を淹れてみるところからと話しました。おいしく、かつ人や自然を壊さないと考えたお茶を、自分や身の回りの人に淹れられる知識やスキルを育てると、

© T's Graphic Dialogue　グラフィックカタリスト 成田富男

図 21　地域に根ざした食と農と経済
(小農による食料ネットワーク)

それによって広げられる人間関係に気づき、築くことができるはず、と。
自分と周りの人の役に立つ、地域や環境にも貢献できる有用性、つまり「使用価値」を重視することから、地域に根ざした食と農に繋げられれば、自分が食べるモノから見えてくる、自分が繋がっている自然環境と、身の回りの生活空間やインフラと、それを支えている政治経済や制度について、自分のためにも考えようと思えるでしょう。そう思えたら、ぜひ、これらを大切にするために自分に何ができるか、考えてみてください。小さめの生活圏の中で、モノや資源や労働力やスキルなどを循環させ再投資していくことで、本当の意味での「経済」を豊かにすることもできるでしょう。

逆に、現代資本主義経済が求める「ちょっと賢い消費者」に留まっていては、どんな技術が開発されてもどんな政府になっても明るい未来は望めないと思います。地域や環境にも貢献できる有用性を作り出すことは、自分の主体性、英語で言う「agency」を強めることに繋がるのですから。個々人が自主性を持ってこそ、他の人とも繋がって、共に考え共に動き始める、民主的な「コモン」を築くことができるのですから。

現代社会における巨大な企業や金融の集中に対して、すべてを私有財産にして囲い込むシステムに対して、共に所有し共に管理して育てていく「コモンズ」の考えが重視されています。食料システムも、大企業が地球規模にビジネス展開する「グローバル・フード・サプライチェーン」(図20)ではなく、地域で小さな農家や小さな八百屋や食べる人たちがゆるく繋がり(図21)、そのコミュニティーが共に持つ価値を育てていく「コモンズとしての食」を再構築することが提唱されています。食と農だけでなく、私たちのデータも、今まで政府や企業に任せてきた水道や保健医療や自治体行政サービスなども、〈共〉に取り戻そうという動きが始まっています。

そのためには、使用価値を重視できる、一人一人が主体性を強め、自分の周りの自然環境や人間関係におけるコモンを育てていく、そこから、人も自然も壊さない経済を草の根的に広げていけるのではないでしょうか。

世を治め人民の苦しみを救うために限られた資源を有効活用することが「経世済民」、つまり経済の語源でした。

まずは今日のご飯から、人も自然も壊さない世界を考えて動き始める、第一歩を踏み出してみてください。

注

１　日本における子どもの貧困問題に取り組んでいる認定ＮＰＯ法人キッズドアが２０２３年５～６月に実施したアンケート調査は、対象の約４～５割の家庭において、一人当たり１ヵ月の食費が１万円未満、つまり1食当たり１１０円以下であることを報告している。キッズドア「２０２３夏物価高騰に係る緊急アンケートレポート(概要)」２０２３年６月　https://kidsdoor.net/wp-content/uploads/2023/06/2023_summary.pdf

２　デヴィッド・グレーバー『ブルシット・ジョブ——クソどうでもいい仕事の理論』酒井隆史・芳賀達彦・森田和樹訳、岩波書店、２０２０年。

３　京の伝統野菜・京のブランド産品　https://www.pref.kyoto.jp/brand/brand1.html
京の産品図鑑「聖護院だいこん」　https://jakyoto.com/product/聖護院だいこん/

４　平賀緑「パンデミック時代に考える食と農」、特定ＮＰＯ法人ＡＭネット会報『ＬＩＭ』95号(２０２０年6月)。　http://am-net.org/

５　マイケル・モス『フードトラップ——食品に仕掛けられた至福の罠』本間徳子訳、日経ＢＰ社、２０１４年、p. 30。

6 Holt-Giménez, E. (2017) *A Foodie's Guide to Capitalism: Understanding the Political Economy of What We Eat*, Monthly Review Press.
7 本文におけるChatGPT文章は、テキストアプリJedit搭載のGPT3.5 turboにより、２０２３年に生成されたもの。
8 International Committee of the Red Cross "Nothing to eat: Food crisis is soaring across Africa"　https://www.icrc.org/en/document/food-crisis-soaring-across-africa
9 阮蔚『世界食料危機(日経プレミアシリーズ)』日本経済新聞出版、２０２２年。
10 中島常雄編『現代日本産業発達史 第18食品』現代日本産業発達史研究会、１９６７年など。
11 Clapp, J. and Isakson, S. R. (2018) *Speculative harvests: financialization, food, and agriculture*, Practical Action Publishing.
12 山下一仁『日本が飢える！　世界食料危機の真実』幻冬舎、２０２２年。
13 外務省「食料安全保障シンポジウム「ロシアのウクライナ侵略から見る日本と世界の食料安全保障」の開催(結果)」２０２２年４月１日　https://www.mofa.go.jp/mofaj/press/release/press6_001100.html
14 Holt-Giménez, 2017, p. 15.
15 Clark, S. E., Hawkes, C., Murphy, S. M., Hansen-Kuhn, K. A., & Wallinga, D. (2012),

"Exporting obesity: US farm and trade policy and the transformation of the Mexican consumer food environment", *International journal of occupational and environmental health*, 18(1), pp. 53-64.

16　グローバル化した経済社会の大枠理解と現状把握には、妹尾裕彦、田中綾一、田島陽一編『地球経済入門――人新世時代の世界をとらえる』法律文化社、２０２１年など。

17　ＦＡＯ報告書「The State of Agricultural Commodity Markets」２０２０年版（Agricultural markets and sustainable development: Global value chains, smallholder farmers and digital innovations. https://doi.org/10.4060/cb0665en）、２０２２年版（The geography of food and agricultural trade: Policy approaches for sustainable development. https://doi.org/10.4060/cc0471en）を主に参照。

18　この例は、政府広報オンライン「すべての加工食品に原材料の原産地が表示されます」２０２０年11月10日　https://www.gov-online.go.jp/useful/article/201709/1.html、農林水産省「令和３年度　食料・農業・農村白書」（２０２２年５月発表）を参照。

19　この節は主に、ニコラス・シャクソン『タックスヘイブンの闇――世界の富は盗まれている！』（藤井清美訳、朝日新聞出版、２０１２年）、中村雅秀『タックス・ヘイヴンの経済学――グローバリズムと租税国家の危機』（京都大学学術出版会、２０２１年）、および Tax Justice Network などによるネット情報を参照している。また本稿では言及していないが、日本の企業については、富岡幸雄『税金を払わない巨大企業』(文春新書、2014年)などがある。

20 私の記憶と同じ講師によってほぼ同時期に行われたプレゼンはネット上でも視聴可能。2011年に行われた、Tax Justice Network の John Christensen 氏による講演で、バナナの貿易を事例に紹介されているタックスヘイブン活用法。“Tax Havens part 2: Britain is the Biggest Player: How Bananas Help Us Understand Tax Havens” https://youtu.be/49cSkt0jkSk

21 大英帝国が衰退する裏で、シティを中心とする金融業者たちがタックスヘイブンによる第二の帝国を築き上げた様子を示したドキュメンタリーとして「The Spider’s Web: Britain’s Second Empire(スパイダーズ ウェブ ブリテンの第二の帝国)」がある。ネットで全編視聴可能、日本語字幕あり。解釈は視聴者本人に任せるが、ご参考まで。 https://www.youtube.com/watch?v=np_ylvc8Zj8

22 福田邦夫『貿易の世界史――大航海時代から「一帯一路」まで』ちくま新書、2020年。

23 https://www.economist.com/big-mac-index

24 世界の種子産業の構造 1996～2018年 Philip Howard 氏サイト「Global Seed Industry Changes Since 2013」より転載。 https://philhoward.net/2018/12/31/global-seed-industry-changes-since-2013/

25 ラジ・パテル『肥満と飢餓——世界フード・ビジネスの不幸のシステム』佐久間智子訳、作品社、2010年、p. 128。
26 穀物メジャーについては文献が多数あるが、例えば、OXFAM(2012) "Cereal Secrets: The world's largest grain traders and global agriculture" https://www.oxfam.org/en/research/cereal-secrets-worlds-largest-grain-traders-and-global-agriculture
27 例えば、Derek Hall(2020) "National food security through corporate globalization: Japanese strategies in the global grain trade since the 2007-8 food crisis", *The Journal of Peasant Studies*, 47 : 5, pp. 993-1029.
28 Hendrickson, M. K., Howard, P. H., Miller, E. M., & Constance, D. H. (2020) *The food system: Concentration and its impacts.* A Special Report to the Family Farm Action Alliance.
29 平賀緑『植物油の政治経済学——大豆と油から考える資本主義的食料システム』昭和堂、2019年。
30 笹間愛史『日本食品工業史』東洋経済新報社、1979年。
31 『会社四季報　業界地図2023年版』東洋経済新報社、2022年。
32 時事ドットコムニュース「「市場通じ投機筋と対峙」鈴木財務相、過度な円安けん制」2022

年10月24日など。

33　経済の金融化一般については、小倉将志郎『ファイナンシャリゼーション――金融化と金融機関行動』（桜井書店、２０１６年）、Krippner, G. (2011) *Capitalizing on Crisis: The Political Origins of the Rise of Finance*, Harvard University Press. など参照。一般向けには、Thomson, F. and Dutta, S. (2018) "Financialisation: A Primer" (updated version), Transnational Institute (TNI). https://www.tni.org/en/publication/financialisation-a-primer がわかりやすい。食と農の金融化については、Clapp, J. and Isakson, S. R. (2018) *Speculative harvests: financialization, food, and agriculture*, Practical Action Publishing、Russi, Luigi. (2013) *Hungry Capital: The Financialization of Food*, John Hunt Publishing. などを参照。まとめとして一部言及している文献として、平賀緑・久野秀二（２０１９）「資本主義的食料システムに組み込まれるとき～フードレジーム論から農業・食料の金融化論まで」『国際開発研究』２０１９年、28巻1号、pp. 19-37。

34　金融庁から中学生・高校生や教育関係者に教材を紹介しているページ　https://www.fsa.go.jp/teach/chuukousei.html

35　政治・経済教育研究会（編集）『政治・経済用語集　第2版』山川出版社、２０１９年、p. 216。

36　Epstein, G. (2005) 'Introduction: Financialization and the world economy.' in G. Epstein (ed.) *Financialization and the world economy*, Edward Elgar, pp. 3–16. Harvey, D. (2020) *The Anti-Capitalist Chronicles* (Ch. 4 The Financialization of Power. Pluto Press.

37 GRAIN (2008)「Seized: The 2008 landgrab for food and financial security」。日本語訳も。 https://grain.org/jp/article/4205-seized-the-2008-landgrab-for-food-and-financial-security-in-japanese

38 Land Matrix Analytical Report 3: Taking Stock Of The Global Land Rush（２０２１年９月）[https://landmatrix.org/resources/land-matrix-analytical-report-iii-taking-stock-of-the-global-land-rush/]、および、GRAIN「The state of the global farmland grab, according to the Land Matrix」（２０２１年10月）[https://grain.org/en/article/6758-the-state-of-the-global-farmland-grab-according-to-the-land-matrix]。

39 アジア太平洋資料センター（ＰＡＲＣ）ＤＶＤ「どこに行ってる、私のお金？――世界をめぐるお金の流れと私たちの選択」２０２１年。 http://www.parc-jp.org/video/sakuhin/okane.html

40 ＧＰＩＦ「２０２１年度業務概況書」 https://www.gpif.go.jp/operation/21434948gpif/2021_4Q_0701_jp.pdf

41 日本経済新聞「資産所得倍増「２０２３年は元年」岸田首相が大納会出席」２０２２年12月30日など。

42　David Harvey *The Anti-Capitalist Chronicles*. Pluto Press. Ch. 4「The Financialization of Power」。

43　宇沢弘文『社会的共通資本』岩波新書、２０００年。

44　アジア太平洋資料センター(ＰＡＲＣ)ＤＶＤ「プラットフォームビジネス――「自由な働き方」の罠」２０２２年など参照。　http://www.parc-jp.org/video/sakuhin/platform.html

45　Howard, P. H., Ajena, F., Yamaoka, M., and Clarke, A. (2021) “*Protein*” *Industry Convergence and Its Implications for Resilient and Equitable Food Systems*. Frontiers in Sustainable Food Systems, p. 284.

46　松平尚也「新しいタンパク質産業の幻想　食料危機や気候変動対策になるという誇大広告〜米国研究者らが批判」Yahoo!ニュース「農業ジャーナリストが耕す「持続可能な食と農」の未来」、２０２３年２月28日。

47　食と農のデジタル化、および背後のビッグビジネスについて「ビッグブラザーがやってくる――私たちの食を襲う見えない脅威」ETC Group(製作)、日本消費者連盟(日本語訳)、２０２１年。https://www.youtube.com/watch?v=NJd3CaMWxrU など。

関連の報告書に、ETC Group(2019)“Plate Tech-Tonics: Mapping Corporate Power in Big Food”　https://www.etcgroup.org/content/plate-tech-tonics など。

48 ティム・ラング、マイケル・ヒースマン『フード・ウォーズ――食と健康の危機を乗り越える道』古沢広祐・佐久間智子訳、コモンズ、2009年。パラダイムの一覧は、古沢広祐『食・農・環境とSDGs――持続可能な社会のトータルビジョン』農山漁村文化協会(農文協)、2020年、p. 81にも掲載。

49 E・F・シューマッハー『スモールイズビューティフル――人間中心の経済学』小島慶三・酒井懋訳、講談社学術文庫、1986年、p. 44。

50 COREプロジェクトのサイト https://www.core-econ.org/project/core-the-economy/

51 OXFAM(2020)"Confronting Carbon Inequality" https://www.oxfam.org/en/research/confronting-carbon-inequality

52 POST(英国議会科学技術局)Research Briefing「Diet-related Health Inequalities」、2022年12月8日 https://post.parliament.uk/research-briefings/post-pn-0686/

53 カトリーン・マルサル『アダム・スミスの夕食を作ったのは誰か?――これからの経済と女性の話』高橋璃子訳、河出書房新社、2021年。

54 1968年3月18日カンザス大学での演説。

55 Garry Egger and Boyd Swinburn (2011) *Planet Obesity: How We're Eating Ourselves and the Planet to Death*, Read How You Want, p. 84.

あとがき

　数年前、新設された経済学部に着任したとき、学部教員20名弱のうち女性は私1人でした。「えーっ、今どき!?」と私もビックリでしたが、知人たちに話すたび驚かれました。でも実際に授業を始めると、経済学部の学生も圧倒的に男性が多かったのです。そのうち新入生たちに、私たちの政治や経済をご年配のオジサンたち(失礼！)に任せてたまるかと発破を掛けるようになりました。それまで組織の外でフリーランス的な生き方をしていた私が、遅ればせながら職場での「ジェンダー」や「女性性」を意識し始めたものでした。

「ケイザイ」というと、固い難しいと思われがちで、だから数式を操るエライ先生方に任せておけば良いなどと思われがちな世の中で、だけどケイザイは、私たちの食べもの、生活、命そのものにまで大きな影響を与えている。しかも人間の考えによって人間が作り上げたシステムだから、人間がその仕組みを変えることだってできるはずのもの。だからこそ、より若い人にも女性にも、毎日の現場を生きている「素人」や「庶民」にこそ、何かおかしな現代社会の根幹に広がる経済のカラクリを理解してもらいたいと願い、このジュニア新書を書きました。
コンビニのおにぎりから経済を語り始める「はじめに」での問いかけは、実際の授業で展開している流れです。何だか「生きづらい」世の中にしている経済のカラクリを、身近な食べものから読み解いてみてください。と同時に、生命の糧や文化や自然の恵みと思われがちな食と農も、じつは企業の動向や政府の策に翻弄されている「資本主義的食料システム」である現実もぜひ知っていただけたらと願っています。

私は2021年に「食べものから『資本主義』を解き明かす！」との帯付きで『食べものから学ぶ世界史』を上梓しました。ドキドキしながら世に出した小さな拙著が、おかげさまで刷を重ねることができました。岩波ジュニア新書は高校生をターゲットにしているそうですが、私の『食べものから学ぶ世界史』は、いろんな大学の授業で使っていただいたり、いろんな社会問題に取り組む大人の市民のみなさんに参照していただいたりしています。おかげさまさまです。

元はといえば、私は現在の食や農の問題に取り組みたかった。けれど、それまでの成り立ちをまとめたわかりやすい本が見あたらなかったので前著『世界史』を書きました。でも、数百年の歴史を1冊にまとめるにはかなり無理があり、また、初めてに近い書き下ろし書籍ということで、じつは1970年代くらいまで書いたところで力尽きてしまった反省がありました。その後も世界は大きく変わっています。むしろ、現在私たちが直面している問題の多くが、1970年代における資本主義経済の方向転換に起因しているともいわれています。なので、その後の「現代社会」について、改めて1冊書きたいと思いました。それが本書のきっかけです。

前著が「世界史」といいつつ、産業革命後の経済の歴史を取り上げていたのと同じように、本書も「現代社会」といいつつ、現在の社会のすべてを網羅できているわけではありません。複雑怪奇な現代社会のすべてを1人の人間が1冊の本に書き込むなんて無理なこと。

では、何を基準にトピックを選んだか。改めて考えてみると、土や生命に触れた農村生活や、市民社会での先達からの学び、そして社会の縮図のような香港で金融街から出稼ぎ労働者たちの溜まり場まで、いろんな現場を垣間見た後に「経済学」を学び始めた私が、最も違和感を感じたことが中心になっていることに気付きました。経済学の教科書に書かれている、需要と供給、完全競争、比較優位の法則などを学んだとき、「現実は違うじゃん！」と思ってしまったのでした。

当然、理論と現実とは違う。経済学者は「そんなこと当たり前」と呆れながら言うでしょう。でも、ニュース報道や企業や政治家の発言には、消費者が望むから、需要が不足しているから／供給が不足しているから、経済成長は必須と、どうも教科書的な説明というか言い訳で世の中を動かそうとしているような気がします。遅ればせながら経済学を学ぶと、自然をあって当たり前な「所与」と考えていたとか、日々の生活を支えている多くの無償労働や利他的な貢献を無視していたとか、リアルな生活現場からはビックリ！な前提設定が多々あることに気がつきました。これほど、生きるために必要な領域を無視して使い捨てる設定で「経済」を語っていたのかと(もちろん、単純化やフレーミング、それによって構築する経済学の理論も、意義ある貴重なものであることも追々学びましたが)。

売るために作る「商品」と使うために作るモノとは異なること。作るより売り続けることが課題なこと、だから供給側が懸命に「需要」を創出し消費を促していること。足りないから輸入するとか余っているから輸出するだけではなく、地球規模にビジネスを展開したい企業や資本によって企業側にとって「自由」な貿易体制が推進されていること。金融が社会の潤滑油どころか巨大なパワーを持って、いろんな取引が投機主体のマネーゲームになってしまっていることなどなど。教科書的な理論とは異なる現実、本来の目的からかけ離れてしまったツールで動かされている現代資本主義経済のカラクリを、生活者の私たちこそ理解することが重要ではないか。そうすることで、この行き詰まったシステムのどこが問題なのか、その中でどう生き延びるべきか、本当に目指したいのはどんなシステムなのか、よりクリアに見えてくることを願っています。間違っても、同じく虐げられている他の社会集団や自分自身を私たちが憎んだり蔑んだりしないように。と同時に、私たちがこのシステムの一部として、ときには動かされ、でもときには私たちもこのシステムを稼働する一部になってしまっていることも、認識できるように。

本書は、日本文化厚生農業協同組合連合会機関誌『文化連情報』において、「食から考える現代資本主義社会」として連載させていただいた原稿を元に、ジュニア新書向けに書き直したものです。原稿の単著化をご快諾いただき、ありがとうございました。

（初出情報）

・資本主義経済に組み込まれた現在の農業・食料システム（２０２２年６月号）
・小麦はどうやって「主食」になったか～穀物の政治経済史を考える（２０２２年７月号）
・食と農のグローバル化
その１　イマドキは食品も「Assembled in Japan（日本で組立）」？（２０２２年８月号）
その２　世界経済の中心にあるタックスヘイブンを知ること（２０２２年９月号）
その３　アグリフードビジネスの影響力（２０２２年10月号）
・日本のアグリビジネスと食料自給率～明治期から輸入原料を活用してきた商社と大手食品企業群の影響は（２０２２年11月号）
・食と農の「金融化」
その１――穀物も農地も「金融商品」に（２０２２年12月号）

その2――推進する力とその影響は(2023年1月号)
その3――日本の私たちの関わりは(2023年2月号)
その4――金融システムを問い直す(2023年3月号)
・日本における「食の貧困」と「食の格差」(2023年4月号、5月号)
・イノベーションで人も自然も救えるか?(2023年6月号)
(はじめに、序章、おわりには書き下ろし)

ジュニア新書向けに書き直した原稿を読みコメントくださった、世界のルールトレンド収集の最先端を手がける株式会社オシンテックの小田真人さんと小田一枝さん、市民活動の大先輩であるNPO法人使い捨て時代を考える会の山田晴美さん、金融について教えていただいた京都橘大学経済学部の矢口満先生、元指導教員の京都大学経済学研究科の久野秀二先生、またすばらしいカバーイラストを描いてくださったふしはらのじこさん、そして本書出版のために伴走くださった岩波ジュニア新書編集部のみなさま、本当にありがとうございました!

大学の授業や市民社会向けの講演で本書の内容を聞いてくださったみなさまにも感謝です。

また、本書を書きながら、かつて香港から、丹波、ロンドン、京都まで、半世紀を超える私の人生で出会い、教えをいただいた沢山の方々を思い出しました。ありがとうございます。

食べものから、資本主義経済の成り立ち(世界史)とカラクリ(現代社会)をまとめた上で、ようやく改めて、本来の目的であった「人も自然も壊さない経済」を考え、近い将来に3冊目としてまとめたいと目指しています。

平賀　緑
京都橘大学経済学部准教授．立命館大学 BKC 社系研究機構客員協力研究員．広島出身．1994 年に国際基督教大学卒業後，香港中文大学へ留学．新聞社，金融機関，有機農業関連企業などに勤めながら，1997 年からは手づくり企画「ジャーニー・トゥ・フォーエバー」共同代表として，食・環境・開発問題に取り組む市民活動を企画運営した．2011 年に大学院へ移り，ロンドン市立大学修士(食料栄養政策)，京都大学博士(経済学)を取得．植物油を中心に食と資本主義の関係を研究している．国際社会学会農業食料社会学部会(ISA RC40)東アジア地域代表理事．AM ネット，使い捨て時代を考える会，環境市民，西日本アグロエコロジー協会，ミュニシパリズム京都などの市民活動にも参加．著書に『食べものから学ぶ世界史——人も自然も壊さない経済とは？』(岩波ジュニア新書，2021 年)，『植物油の政治経済学——大豆と油から考える資本主義的食料システム』(昭和堂，2019 年)．

食べものから学ぶ現代社会
—私たちを動かす資本主義のカラクリ　岩波ジュニア新書 980

2024 年 1 月 19 日　第 1 刷発行
2024 年 10 月 4 日　第 3 刷発行

著　者　平《ひら》賀《が》　緑《みどり》

発行者　坂本政謙

発行所　株式会社 岩波書店
〒101-8002 東京都千代田区一ツ橋 2-5-5
案内 03-5210-4000　営業部 03-5210-4111
ジュニア新書編集部 03-5210-4065
https://www.iwanami.co.jp/

印刷・精興社　製本・中永製本

ISBN 978-4-00-500980-0　　Printed in Japan

岩波ジュニア新書の発足に際して

きみたち若い世代は人生の出発点に立っています。きみたちの未来は大きな可能性に満ち、陽春の日のようにひかり輝いています。勉学に体力づくりに、明るくはつらつとした日々を送っていることでしょう。

しかしながら、現代の社会は、また、さまざまな矛盾をはらんでいます。営々として築かれた人類の歴史のなかで、幾千億の先達《せんだつ》たちの英知と努力によって、未知が究明され、人類の進歩がもたらされ、大きく文化として蓄積されてきました。にもかかわらず現代は、核戦争による人類絶滅の危機、貧富の差をはじめとするさまざまな人間的不平等、社会と科学の発展が一方においてもたらした環境の破壊、エネルギーや食糧問題の不安等々、来るべき二十一世紀を前にして、解決を迫られているたくさんの大きな課題がひしめいています。現実の世界はきわめて厳しく、人類の平和と発展のためには、きみたちの新しい英知と真摯《しんし》な努力が切実に必要とされています。

きみたちの前途には、こうした人類の明日の運命が託されています。ですから、たとえば現在の学校で生じているささいな「学力」の差、あるいは家庭環境などによる条件の違いにとらわれて、自分の将来を見限ったりはしないでほしいと思います。個々人の能力とか才能は、いつどこで開花するか計り知れないものがありますし、努力と鍛練の積み重ねの上にこそ切り開かれるものですから、簡単に可能性を放棄したり、容易に「現実」と妥協したりすることのないようにと願っています。

わたしたちは、これから人生を歩むきみたちが、生きることのほんとうの意味を問い、大きく明日をひらくことを心から期待して、ここに新たに岩波ジュニア新書を創刊します。現実に立ち向かうために必要とする知性、豊かな感性と想像力を、きみたちが自らのなかに育てるのに役立ててもらえるよう、すぐれた執筆者による適切な話題を、豊富な写真や挿絵とともに書き下ろしで提供します。若い世代の良き話し相手として、このシリーズを注目してください。わたしたちもまた、きみたちの明日に刮目《かつもく》しています。(一九七九年六月)

943
数理の窓から世界を読みとく
―素数・AI・生物・宇宙をつなぐ
初田哲男
柴藤亮介 編著

数学を使いさまざまな事象を理論的に解明する方法、数理。若手研究者たちが数理を共通言語に、瑞々しい感性で研究を語る。

944
自分を変えたい
―殻を破るためのヒント
宮武久佳

いつも同じメンバーと同じ話題。親に勧められた大学に進学し、楽勝科目で単位を稼ぐ。ずっとこのままでいいのかなあ？

945
ヨーロッパ史入門
原形から近代への胎動
池上俊一

古代ギリシャ・ローマから、文化的統合体としてのヨーロッパの成立、ルネサンスや宗教改革を経て、一七世紀末までを俯瞰。

946
ヨーロッパ史入門
市民革命から現代へ
池上俊一

近代国家の成立や新しい思想の誕生、二度の大戦、アメリカや中国の台頭。「古い大陸」ヨーロッパがたどった近現代を考察。

947
〈読む〉という冒険
イギリス
児童文学の森へ
佐藤和哉

アリス、プーさん、ナルニア……名作たちは、本当は何を語っている？「冒険」する読みかた、体験してみませんか。

948
私たちのサステイナビリティ
―まもり、つくり、次世代につなげる
工藤尚悟

「サステイナビリティ」とは何かを、気鋭の研究者が、若い世代に向けて、具体例を交えわかりやすく解説する。

949 進化の謎をとく発生学
―恐竜も鳥エンハンサーを使っていたか
田村宏治
進化しているのは形ではなく形作り。キーワードは、「エンハンサー」です。進化発生学をもとに、進化の謎に迫ります。

950 漢字ハカセ、研究者になる
笹原宏之
著名な「漢字博士」の著者が、当て字、国字、異体字など様々な漢字にまつわるエピソードを交えて語った、漢字研究者への成長記。

951 作家たちの17歳
千葉俊二
太宰も、賢治も、芥川も、漱石も、まだ「文豪」じゃなかった――十代のころ、彼らは何に悩み、何を決意していたのか？

952 ひらめき！英語迷言教室
―ジョークのオチを考えよう
右田邦雄
ユーモアあふれる英語迷言やひねりのきいたジョークのオチを考えよう！　笑いながら英語力がアップする英語トレーニング。

953 大絶滅は、また起きるのか？
高橋瑞樹
生物たちの大絶滅が進行中？　過去五度あった大絶滅とは？　絶滅とはどういうことでなぜ問題なのか、様々な生物を例に解説。

954 いま、この惑星で起きていること
気象予報士の眼に映る世界
森さやか
世界各地で観測される異常気象を気象予報士の立場で解説し、今後を考察する。雑誌『世界』で大好評の連載をまとめた一冊。

955
世界の神話 躍動する女神たち
沖田瑞穂
強い、怖い、ただでは起きない、変わってる⁉ 世界の神話や昔話から、おしとやかなイメージをくつがえす女神たちを紹介!

956
16テーマで知る 鎌倉武士の生活
西田友広
鎌倉武士はどのような人々だったのでしょうか? 食生活や服装、住居、武芸、恋愛など様々な視点からその姿を描きます。

957
〝正しい〟を疑え!
真山 仁
不安と不信が蔓延する社会において、自分を信じて自分らしく生きるためには何が必要なのか? 人気作家による特別書下ろし。

958
津田梅子—女子教育を拓く
髙橋裕子
日本の女子教育の道を拓き、シスターフッドを体現した津田梅子の足跡を、最新の研究成果・豊富な資料をもとに解説する。

959
学び合い、発信する技術—アカデミックスキルの基礎
林 直亨
アカデミックスキルはすべての知的活動の基盤。対話、プレゼン、ライティング、リーディングの基礎をやさしく解説します。

960
読解力をきたえる英語名文30
行方昭夫
英語力の基本は「読む力」。先生と生徒の対話形式で、新聞コラムや小説など、とっておきの例文30題の読解と和訳に挑戦!

961
森鷗外、自分を探す
出口智之
文豪で偉い軍医の天才？　激動の時代の感覚に立って作品や資料を読み解けば、自分探しに悩む鷗外の姿が見えてくる。

962
巨大おけを絶やすな！
―日本の食文化を未来へつなぐ
竹内早希子
しょうゆ、みそ、酒を仕込む、巨大な木おけ。途絶えかけた大おけづくりをつなぎ、その輪を全国に広げた奇跡の奮闘記！

963
10代が考えるウクライナ戦争
岩波ジュニア新書編集部編
この戦争を若い世代はどう受け止めているのでしょうか。高校生達の率直な声を聞き、平和について共に考える一冊です。

964
ネット情報におぼれない学び方
梅澤貴典
新しい時代の学びに即した情報の探し方や使い方、更にはアウトプットの方法を図書館司書の立場からアドバイスします。

965
10代の悩みに効くマンガ、あります！
トミヤマユキコ
悩み多き10代を多種多様なマンガを通してお助けします。萎縮したこころとからだがふわっと軽くなること間違いなしの一冊。

966
新種発見物語
―足元から深海まで11人の研究者が行く！
島野智之
脇　司　編著
虫、魚、貝、鳥、植物、菌など未知の生物の探究にワクワクしながら、分類学の基礎も楽しく身につく、濃厚な入門書。

967
核のごみをどうするか
—もう一つの原発問題
今田高俊
寿楽浩太
中澤高師
原子力発電によって生じる「高レベル放射性廃棄物」をどのように処分すればよいのか。問題解決への道を探る。

968
扉をひらく哲学
—人生の鍵は古典のなかにある
中島隆博・梶原三恵子
納富信留・吉水千鶴子 編著
親との関係、勉強する意味、本当の自分とは?……人生の疑問に、古今東西の書物をひもといて、11人の古典研究者が答えます。

969
在来植物の多様性がカギになる
—日本らしい自然を守りたい
根本正之
日本らしい自然を守るにはどうしたらいい? 在来植物を保全する方法は? 自身の保全活動をふまえ、今後を展望する。

970
知りたい気持ちに火をつけろ!
—探究学習は学校図書館におまかせ
木下通子
レポートの資料を探す、データベースで情報検索する……、授業と連携する学校図書館の活用法を紹介します。

971
世界が広がる英文読解
田中健一
英文法は、新しい世界への入り口です。楽しく読む基礎とコツ、教えます。英語力不問、この1冊からはじめよう!

972
都市のくらしと野生動物の未来
高槻成紀
野生動物の本当の姿や生き物同士のつながりを知る機会が減った今。正しく知ることの大切さを、ベテラン生態学者が語ります。

973 ボクの故郷は戦場になった
—樺太の戦争、そしてウクライナへ
重延　浩

1945年8月、ソ連軍が侵攻を開始し、のどかで美しい島は戦場と化した。少年が見た戦争とはどのようなものだったのか。

974 源氏物語入門
高木和子

日本の古典の代表か、色好みの男の恋愛遍歴か。『源氏物語』って、一体何が面白いの？　千年生きる物語の魅力へようこそ。

975 「よく見る人」と「よく聴く人」
—共生のためのコミュニケーション手法
広瀬浩二郎
相良啓子

目が見えない研究者と耳が聞こえない研究者が、互いの違いを越えてわかり合うためコミュニケーションの可能性を考える。

976 平安のステキな！女性作家たち
川村裕子
早川圭子 絵

紫式部、清少納言、和泉式部、道綱母、孝標女。作品の執筆背景や作家同士の関係も解説。ハートを感じる！王朝文学入門書。

977 国連で働く
—世界を支える仕事
植木安弘編著

平和構築や開発支援の活動に長く携わってきた10名が、自らの経験をたどりながら国連の仕事について語ります。

978 農はいのちをつなぐ
宇根　豊

生きものの「いのち」と私たちの「いのち」はつながっている。それを支える「農」とは何かを、いのちが集う田んぼで考える。

979
10代のうちに考えておきたいジェンダーの話
堀内かおる

10代が直面するジェンダーの問題を、未来に向けて具体例から考察。自分ゴトとして考えた先に、多様性を認め合う社会がある。

980
食べものから学ぶ現代社会
―私たちを動かす資本主義のカラクリ
平賀　緑

食べものから、現代社会のグローバル化、巨大企業、金融化、技術革新を読み解く。『食べものから学ぶ世界史』第2弾。

981
原発事故、ひとりひとりの記憶
―3・11から今に続くこと
吉田千亜

3・11以来、福島と東京を往復し、人々の声に耳を傾け、寄り添ってきた著者が、今に続く日々を生きる18人の道のりを伝える。

982
縄文時代を解き明かす
―考古学の新たな挑戦
阿部芳郎 編著

人類学、動物学、植物学など異なる分野と力を合わせ、考古学は進化している。第一線の研究者たちが縄文時代の扉を開く！

983
翻訳に挑戦！　名作の英語にふれる
河島弘美

he や she を全部は訳さない？　この人物は「僕」か「おれ」か？　8つの名作文学で翻訳の最初の一歩を体験してみよう！

984
SDGsから考える世界の食料問題
小沼廣幸

アジアなどで長年、食料問題と向き合い、今も邁進する著者が、飢餓人口ゼロに向け、SDGsの視点から課題と解決策を提言。

985 迷いのない人生なんて
―名もなき人の歩んだ道
共同通信社編
共同通信の連載「迷い道」を書籍化。家族との葛藤、仕事の失敗、病気の苦悩…。市井の人々の様々な回り道の人生を描く。

986 ムクウェゲ医師、平和への闘い
―「女性にとって世界最悪の場所」と私たち
立山芽以子
華井和代
八木亜紀子
アフリカ・コンゴの悲劇が私たちのスマホに繋がっている？ ノーベル平和賞受賞医師の闘いと紛争鉱物問題を知り、考えよう。

987 フレーフレー！就活高校生
―高卒で働くことを考える
中島　隆
就職を希望する高校生たちが自分にあった職場を選んで働けるよう、いまの時代に高卒で働くことを様々な観点から考える。

988 野生生物は「やさしさ」だけで守れるか？
―命と向きあう現場から
朝日新聞
取材チーム
多様な生物がいる豊かな自然環境を保つために、時にはつらい選択をすることも。悩みながら命と向きあう現場を取材する。

989 〈弱いロボット〉から考える
―人・社会・生きること
岡田美智男
弱さを補いあい、相手の強さを引き出す〈弱いロボット〉は、なぜ必要とされるのか。生きることや社会の在り方と共に考えます。

990 ゼロからの著作権
―学校・社会・SNSの情報ルール
宮武久佳
情報社会において誰もが知っておくべき著作権。基本的な考え方に加え、学校と社会でのルールの違いを丁寧に解説します。